I

L'AMOUR, UN TEXTE HERMÉTIQUE

> « *C'est tellement grave d'écrire, de plus en plus grave pour moi.* »
> Marguerite DURAS (cité p. 102[1])

L'AMOUR est un texte généralement négligé par les commentateurs de Marguerite Duras. Il se trouve écrasé entre deux géants, *Le Ravissement de Lol V. Stein* qui l'a précédé et dont on tend à le considérer comme une redite compliquée, et *L'Amant* avec lequel il est fréquemment confondu à cause de la similitude de leurs titres, et qui a été un énorme succès de librairie. *Le Ravissement de Lol V. Stein* a provoqué une réaction unanime d'identification chez ses lecteurs. Dans *Les Parleuses*, Marguerite Duras raconte : « *Je reçois beaucoup de lettres de gens me disant toujours la même chose, à propos de Lol V. Stein, toujours, toujours c'est :* "*Lol V. Stein, c'est moi*" [...]. *La plus belle chose qu'on m'ait dite, à propos de Lol V. Stein,* [...] *c'est ceci :* "*Lol V. Stein, c'est moi qui l'ai écrit*". » (p. 161[2]). Quant à *L'Amant*, une partie de son succès s'explique par le fait qu'à son indéniable qualité littéraire s'ajoutent une écriture et une composition qui en facilitent l'accès.

L'Amour, lui, est un texte hermétique, mais une simple lecture convainc pourtant d'emblée qu'il n'en est pas moins chargé, dans sa concentration et son mystère, d'une qualité poétique indiscutable.

L'Amour est une œuvre difficile. Une des exégètes de Marguerite Duras la mentionne comme une « *narration énigmatique* » (p. 76[3]). Compacte, réduite à l'essentiel, c'est une de ces créations qui ne se laisse pas pénétrer du premier coup, et qui, dans sa complexité, exige de la part de son lecteur un effort réitéré, soutenu. Dans *Les Yeux verts*, Marguerite Duras rejette le « *cinéma quantitatif* » (*YV*, 132), cet « *HIMALAYA d'images qui constitue sans doute le plus grand sottisier historique moderne* ». De même dans sa production littéraire, son cheminement l'a portée vers une écriture de plus en plus resserrée, passant de la prose fluide du *Marin de Gibraltar* au style étonnant de *L'Après-midi de Monsieur Andesmas*, de *Moderato cantabile* ou du *Vice-consul*, et presque hermétique de *Détruire dit-elle* et de *L'Amour*. Résultat de l'effort de son créateur, réseau de significations multiples, lieu géométrique d'associations poétiques, la littérature hermétique rebute souvent le public ; Marguerite Duras le signale elle-même, avec sans doute un certain amusement, lorsqu'elle confie à Xavière Gauthier : « *Il y a pas mal d'hommes qui ont écrit sur moi en disant : "Ah, comme on préférait quand elle était simple !"* » (p. 37[2]).

Elle reconnaît elle-même que ses œuvres sont d'un abord difficile : « *Évidemment, dans* Le Barrage, *je voulais pas raconter tout. Je voulais que ce soit harmonieux. On m'avait dit : "Il faut que ce soit harmonieux". C'est beaucoup plus tard que je suis passée à l'incohérence.* » (p. 139[2]). Comparant *Les Petits chevaux de Tarquinia* à *L'Amour*, Xavière Gauthier constate que toutes les « *choses autour [...] tout ça se décante, les choses inutiles et tout le psychologisme, c'est vrai et c'est pour ça qu'on est affrontés très brutalement, très directement à ce qui se passe dans* L'Amour » (p. 58[2]). Il s'agit d'une progression technique qui mène l'auteur vers une concentration de plus en plus grande. Marguerite Duras critique les œuvres où « *tout est explicité* [car alors] *tout est bouché, tout est asphyxiant* » (p. 87[2]). Écartant tout ce qui enrobe, accompagne, décrit ou explique, tout ce qui est intermédiaire et conduit d'un point au suivant, elle ne garde plus que l'essentiel. Elle trie, laisse affleurer, et recueille l'essence même de son inspiration. Le résultat est exigeant car chaque mot devient important et d'autre part, il n'a plus que son rayonnement propre pour atteindre le lecteur. Marguerite Duras explique ceci elle-même :

Oh, je pourrais en faire un, en quinze jours, de livre comme ça. J'ai cette vulgarité en moi. Je l'ai. C'est une sorte de facilité que j'avais à l'école, vous savez, la même. Je peux torcher un livre en trois semaines, n'importe quoi. [...] et puis, une fois, j'ai eu une histoire d'amour et je pense que c'est là que ça a commencé. [...] j'ai traversé une crise qui était suicidaire [...] et à partir de là les livres ont changé... [...] Alors, qu'est-ce qui s'est passé? Pourquoi? Pourquoi ça a déblayé la facilité? [...] Ça a été une rupture en profondeur.

(pp. 58-9[2])

Héritière de Nerval, des Symbolistes, des Surréalistes, de Proust, contemporaine du Nouveau Roman, l'œuvre de Marguerite Duras ne permet pas une approche semblable à celle qui convient à Balzac ou Zola. Une attitude différente, très souple, très docile s'impose lorsqu'on veut comprendre l'esthétique moderne. Les barrières entre les arts se sont effondrées. Une conception modifiée du temps et de l'espace se répercute sur l'œuvre écrite. Ainsi au sujet de *L'Amour* et de *La Femme du Gange*, Marguerite Duras dit :

Tu vois, quand je parle d'accident de mémoire, je pourrais parler aussi bien d'indécision dans la vision, une vision qui n'est pas tout à fait déterminée. Le bal mort de S. Thala, je le vois aussi bien dans le hall de l'hôtel [...] que dans le Casino municipal. Alors, j'ai tourné les deux. C'est une contradiction éclatante. [...] Le spectateur pourrait me dire : « Mais où a-t-il eu lieu ? » Qu'est-ce que ça peut faire ? En moi, il a eu lieu dans les deux endroits. (p. 130[2])

Au XXe siècle, la notion de genre n'est plus contraignante en littérature. *L'Amour* n'est présenté ni comme roman, ni comme récit, nouvelle, scénario, enfin il n'est rangé dans aucune catégorie par son auteur : « [...] *je ne crois pas que ce soient des romans que je fais* » (p. 36[2]), dit Marguerite Duras. Il s'agira donc de déterminer le genre de cette œuvre, et cela nous mène à l'antinomie qu'établit Valéry entre le roman et la poésie.

Sur le plan de la typographie, on n'a pas la prose habituelle, compacte, de textes comme *Moderato cantabile*, *Dix heures et demie du soir en été*, *L'Après-midi de Monsieur Andesmas*, etc., sans compter les premiers romans : *La Vie tranquille*, *Un Barrage contre le Pacifique*, *Le Marin de Gibraltar*. Il s'agit ici d'une typographie différente, aérée, coupée de blancs, où les dialogues sont reportés au milieu de la page, et qui deviendra de plus en plus représentative de Marguerite Duras, dans des œuvres comme *L'Éden Cinéma*, *Savannah Bay*, et des scénarios comme *India Song* ou *Le Camion*.

Frappé par l'hermétisme du texte, le lecteur doit cependant dépasser son « incohérence », et découvrir la cohérence qui sous-tend l'œuvre, cohérence interne, masquée, mais essentielle.

C'est donc différemment qu'il faut lire *L'Amour*. Comme on lirait un poème, en accordant à l'auteur la liberté que l'on concède aux poètes, en se plaçant en dehors des exigences de la logique et de la syntaxe courantes.

La question habituelle face à une œuvre difficile est : « Qu'est-ce que l'auteur a voulu dire ? » J'ai entendu Alain Robbe-Grillet, au cours d'une conférence donnée à Stockholm en 1976 ou 1977, s'insurger contre cette formule : ce qu'il voulait dire, il l'a dit dans le livre tel que celui-ci a été publié. Ce que l'auteur avait en tête au moment où il écrivait, personne ne peut le savoir. À la limite, pas même lui : « *Je ne sais jamais où [l'écriture] va. Ni jamais très bien comment ce qui est écrit est arrivé sur la page* » (p. 102[1]), dit Marguerite Duras dans une interview. Ce qui intéresse le lecteur, ce n'est pas l'individu qui a écrit, mais l'écrivain. Le regard ne doit donc porter que sur l'œuvre, exclusivement.

Cette œuvre, si elle est riche, est comme un organisme vivant, composé de structures multiples qui s'emboîtent et se complètent, et dont aucune ne suffit à elle seule à le créer : « [...] *jamais une seule raison ne contient tout, n'est valable, n'explique tout à elle seule* » (p. 63[2]), affirme Marguerite Duras. Avoir recours à la « traduction », établir un code et des équations rigides est une démarche fausse. Lorsque Marguerite Duras dit elle-même : « *Les sables là, dans S. Thala, c'est le Tonlé-Sap d'où vient la mendiante. Tu crois pas que c'est l'enfance ?* » (p. 134[2]), elle le dit avec une sorte d'humilité devant sa propre œuvre ; elle questionne, elle n'affirme pas. « *Dans le territoire du roman, on n'affirme pas : c'est le territoire du jeu et des hypothèses.* » (p. 101[4]).

L'œuvre est faite de réseaux de mots qui renvoient les uns aux autres suivant des associations d'idées propres à l'auteur. Le lecteur, lorsqu'il lit le livre, le fait sien et lui impose à son tour ses associations d'idées personnelles, avec une liberté que seule limite la connaissance de l'œuvre. Lisant *L'Amour*, l'erreur absolue serait de créer une sorte de lexique où tel mot de l'auteur serait remplacé par tel mot courant, où tel symbole ne représenterait que telle chose définie une fois pour toutes. Il serait faux d'y voir « *un discours qui est d'abord présenté sous un sens propre qui paraît tout autre chose que ce qu'on a dessein de faire entendre, et qui cependant ne sert que de comparaison, pour donner l'intelligence d'un autre sens qu'on n'exprime point* » (p. 129[5]). Tzvetan Todorov définit de façon analogue ce qu'il appelle l'« *interprétation* » d'un texte et dont il récuse l'emploi : « *Le terme d'"interprétation" se réfère* [...] *à toute substitution d'un texte autre en place du texte présent, à toute démarche qui cherche à découvrir, à travers le tissu textuel apparent, un deuxième texte plus authentique. L'interprétation a dominé, on le sait, la tradition occidentale, des exégèses allégoriques et théologiques du Moyen-Âge jusqu'à l'herméneutique contemporaine.* » (p. 245[6]). Décrypter une œuvre dans le but de lui imposer une signification unique, c'est donc ne pas la comprendre. C'est lui retirer son flou, sa magie, la priver de mouvement, la figer, l'appauvrir — la trahir, se refuser au « *vertige des possibilités contenues dans le récit écrit* » (p. 102[1]).

L'Amour, que son auteur ne range dans aucun genre littéraire et que sa typographie rapproche de l'œuvre poétique, n'est pas non plus découpé en chapitres. Il est vrai qu'il met en scène des personnages et mentionne des sentiments, des relations, une chronologie, un cadre. Mais on hésite à le faire entrer dans la catégorie du roman, car on peut difficilement y voir un « récit en prose généralement assez long, et dont l'intérêt est dans la narration d'aventures, l'étude de mœurs ou de caractères, l'analyse de sentiments ou de passions, la représentation objective ou subjective du réel » (*Petit Larousse*), « *ligot*[*é*] *par l'impératif de la vraisemblance, par le décor réaliste, par la rigueur de la chronologie* » (p. 31[4]).

Tout au contraire, son extrême hermétisme le rend difficile à résumer, ses personnages sont bizarres, sa chronologie passe d'une précision minutieuse à un manque total de rigueur, et l'on se sent très loin du réel. Cependant on y pressent une composition rigoureuse, même si elle est difficile à dégager au premier abord. Il ne s'agit probablement pas d'un plan logique, squelette que l'auteur aurait ensuite recouvert de la chair des détails. Marguerite Duras ne travaille pas comme Flaubert.

Le plan de *L'Amour* est organique, nécessité par une poussée interne. Marguerite Duras raconte : « *Hier on m'a téléphoné, quelqu'un m'a dit : " Mais c'est très intéressant, comment vous avez concerté les choses" — comment dit-on encore ? — " organisé". J'ai dit que je n'avais rien organisé du tout. Elle a essayé, cette personne, de voir les explications partout.* [...] *Les explications dans le détail.* » (p. 119[2]). Devant *L'Amour*, il faut renoncer à expliquer. Mais par contre, on peut sans crainte rapprocher cette œuvre de la poésie, dans la mesure où Valéry dit que celle-ci « *s'oppose nettement à la description et à la narration d'événements qui tendent à donner l'illusion de la réalité, c'est-à-dire au roman ou au conte quand leur objet est de donner puissance du vrai à des récits, portraits, scènes et autres représentations de la vie réelle* » (p. 1374[7]). En même temps que la conception traditionnelle du roman, *L'Amour* en refuse la structure et adopte une composition très différente où, comme « *en rêve, les opérations ne s'échafaudent pas, ne sont pas perçues comme facteurs indépendants. Il y a séquences, non conséquences. Pas de but, mais le sentiment d'un but* » (p. 934[7]).

Il faut se tourner vers la musique pour trouver un type de structure analogue à celle de *L'Amour*. Milan Kundera écrit : « *Chaque passage d'une composition musicale agit sur nous, bon gré mal gré, par une expression émotionnelle* [...]*; composer un roman c'est juxtaposer différents espaces émotionnels, et* [...] *c'est là, selon moi, l'art le plus subtil d'un romancier.* » (p. 114[4]).

Par sa composition, ce texte évoque la symphonie concertante, « morceau de musique pour un ensemble d'instruments [dans lequel] les différents partis s'équilibrent » (*Le Robert*). Ces « différents partis » prennent dans *L'Amour* la figure de thèmes parallèles qui se font écho, s'entrecroisent et s'orchestrent d'un bout à l'autre du texte. Deux *voix* dominent par l'importance qui leur est accordée par rapport aux autres, jouant ainsi le rôle de solistes : les trois personnages et les eaux. Comme en musique où le violon et l'alto déroulent parallèlement leur partie, ou bien les voix humaines que les cordes doublent, et auxquelles à leur tour font écho les vents, les cuivres, les percussions. Tout cela pour aboutir à un ensemble qui englobe ses composantes, et qui les intègre en une harmonie totale. Claudel a établi très clairement le rapport qui lie la musique et la poésie au niveau de la composition de textes comme *La Cantate à trois voix*, *La Messe là-bas*, le « *Magnificat* » des *Cinq grandes odes*.... On peut de même remarquer l'emploi que fait Marguerite Duras du contrepoint. Pour n'en citer que quelques exemples, je rappellerai le thème du crime passionnel qui déclenche et sous-tend l'amour d'Anne et de Chauvin dans *Moderato cantabile*, le chiasme sur lequel est construit *L'Après-midi de Monsieur Andesmas* avec l'abandon d'un père par sa fille et d'une fille par son père, et enfin l'extrême importance, l'autonomie donnée aux voix dans *L'Éden Cinéma*, *La Femme du Gange*, *India Song*, qui sont de véritables oratorios, ou encore ce merveilleux duo pour voix, celle de Madeleine dans « *la splendeur de l'âge* » (*SB*, 8) et celle de la Jeune Femme, qui s'entrelacent dans *Savannah Bay* — souvenir et désir présent, rappelant certaines *Leçons de ténèbres* de Couperin.

Trois éléments me paraissent importants, comme points de départ d'une réflexion qui permettrait de pénétrer le texte de *L'Amour* : son caractère a-logique, son manque apparent de composition, et son traitement très particulier du temps, de l'espace, et des personnages.

II

FANTASTIQUE

Le récit de *L'Amour* est fait par un narrateur à la fois absent, car on ne le voit jouer aucun rôle dans l'histoire contée, on le sent incapable de rien prévoir ni expliquer — et comme intérieur au récit dans la mesure où il sait ce qui se passe dans la conscience des protagonistes mais seulement de façon intermittente. « *La saison est indéfinie* » (7), le lieu : une plage, puis une ville qui semble au premier abord n'être qu'un mirage. Le passage qui la décrit commence, en effet, par une phrase à la syntaxe correcte, chargée de subordonnées : « [...] *il va vers une digue qui est aussi éloignée de la femme que l'est d'elle le marcheur de la plage.* » (11). Précision d'arpenteur qui tout à coup s'enlise dans l'imprécision de la phrase suivante : « *Au-delà de la digue, une autre ville* », à une distance qui cadre mal avec la rigueur de ce qui précédait car on dit qu'elle est « *bien au-delà* [...], *inaccessible* ». On dirait que la vision se brouille. Sans lien logique, on bascule dans l'hallucination avec cette étrange équation : « *Puis d'autres villes : la même.* ». La répétition à deux reprises de l'indéfini *autre*, transformé ensuite, et par deux fois encore, en son pluriel *autres*, la multiplication des virgules qui indiquent un embarras du souffle, une syncope, entre le nom « *ville* » et ses épithètes « *inaccessible* », « *bleue* », l'absence de logique en fin de phrase, tout cela contribue à nous installer dans l'angoisse et les étranges glissements d'un monde imaginaire.

Les personnages eux aussi semblent appartenir à un univers irréel, tant ils sont vagues : il y en a trois que l'on introduit dès le début, mais sans autre signe particulier que leur sexe (*la femme*) ou la mention d'une activité caractéristique (*l'homme qui marche, le voyageur*). Plus tard, dans le courant du récit, paraîtront deux autres femmes dont l'une se présente comme *la morte de S. Thala* et l'autre, la *mère* de deux enfants dont le rôle, en somme, se réduit à être renvoyés. On peut identifier ces deux femmes à l'héroïne principale à certains moments, alors qu'à d'autres, elle s'en distingue parfaitement. Le comportement de ces personnages est étonnant : ils dorment, marchent sans aller nulle part, dialoguent par phrases interrompues et références à des événements inconnus du lecteur. Leurs relations, leurs buts, leurs désirs, les causes de leurs réactions demeurent obscurs. Ainsi le marcheur qui ne regarde « *rien, rien d'autre que le sable devant lui* » (8), et dont la « *marche est incessante, régulière, lointaine* » comme celle d'un « *prisonnier* ». Quel peut être ce prisonnier « *au visage indistinct* » (7), libre d'aller et venir sur une plage, et pourtant entravé par les trois côtés d'un « *triangle* » (8) idéal et obsédant qui « *se déforme, se reforme, sans se briser jamais* », cet homme dont on nous dit que, comme un revenant condamné à un tourment éternel, « *il va, il vient, il va, il revient* » (7).

Le rythme est lourd, lent, lancinant, le mouvement insinuant : « *Le triangle se défait, se résorbe. Il vient de se défaire.* » (10). Tout est sourd et aveugle : « *personne ne regarde, personne n'est vu* » (11), « *personne n'entend, personne n'écoute* » (12). C'est ce que Marguerite Duras appelle « *l'endroit de la passion. Là où on est sourd et aveugle* » (p. 94[8]). Des pistes s'amorcent qui ne mènent nulle part : ainsi la grossesse de la femme, la naissance d'un enfant, la présence d'un chien mort sur la plage.

Sans raison, certains personnages apparaissent soudain au cours du récit et disparaissent de même, sans qu'on sache de qui il s'agit, privés ainsi d'enracinement, rendus flottants, telle la *morte de S. Thala*, dont les « *yeux sont très sombres, fardés de noir, fosses sans fond où le regard se perd* » (79). Elle semble faire partie d'un monde du spectacle rituel, inquiétant. « *Droite, rigide* » (82) « *le sourire* [...] *collé en plein visage* », c'est une véritable peinture de Grunewald, fantôme chargé d'épouvante, revenu du royaume des morts.

Lorsque la femme et le voyageur traversent S. Thala en direction du Casino, brusquement, comme suscités par un coup de baguette magique, dans la soudaineté d'une danse folle et essouflée que suggèrent l'inversion pronom-antécédent, la répétition et l'énumération, les virgules, les pluriels, l'absence de verbe, « *les voici tout à coup, surgis de la ville, des trous, de la pierre, indifférents les uns aux autres dans une activité générale, les habitants de S. Thala* » (117).

Le décor est parfois animé d'une vie démoniaque qui donne la sensation physique de la fièvre : ainsi cette étrange description du hall de l'hôtel où les mots, répétés avec entêtement, tournoient dans une sorte de vertige : « *Des glaces parallèles occupent les murs. Elles reflètent les piliers du centre du hall, leurs ombres massives multipliées, les plantes vertes, les murs blancs, les piliers, les plantes, les piliers, les murs, les piliers, les murs, les murs.* » (56). Comme dans les contes, les glaces se ternissent progressivement, les objets s'animent dans un rythme dément : « [...] *les murs battent blancs, ils se multiplient de chaque côté de la marche* [...]. *Les murs augmentent en nombref, ils se coupent, se suivent, se recoupent, ils battent dans les tempes, font saigner les yeux.* » (119). Des faits anodins se chargent d'une intensité de peur que rien n'explique : les

« *plantes noires remuent dans le vent qui entre par la porte* » (56), avec « *des mouvements lents de houle pernicieuse, d'esprits morts* » (68).

Des attitudes bizarres sont rapportées avec naturel. « *La bouche rit, les yeux brillent dans le visage brûlé. Il montre la direction des sirènes, il annonce : — Le feu.* » (86). Les personnages sont sélectivement aveugles et sourds, comme dans la scène des enfants : « *Toujours de la même voix lucide, un enfant enchaîne des événements qui sont, en apparence, sans relations.* » (98). Imperturbables, les « *enfants parlent calmement dans le hurlement des sirènes et les cris de la femme.* [...]. *La femme crie :* [...] *Les enfants ne l'entendent pas.* » (99).

Il se dégage de tous ces passages un sentiment d'étouffement, d'impuissance et de solitude tragiques, caractéristiques du cauchemar. Tout ce qui semble décousu devient cohérent si, refusant de justifier les détails, on transpose le récit tout entier dans le monde du rêve et de la folie, suivant la définition qu'à la suite des Surréalistes, Kundera donne du roman comme étant « *la fusion du rêve et du réel* » (p. 31[4]). Mathieu Carrière, pendant le tournage d'*India Song*, remarque que, privés de nom, « *les visages peuvent changer de corps comme dans un rêve* » (p. 57[1]).

Se détournant de l'analyse des sociétés ou de l'interrogation minutieuse des phénomènes physiques et psychiques chères au roman du XIXe siècle, les textes de Marguerite Duras sont la projection, à l'aide de symboles, du monde intérieur. Avec eux, « *l'imagination* [...] *libérée du contrôle de la raison, du souci de la vraisemblance, entre dans des paysages inaccessibles à la réflexion rationnelle. Le rêve n'est que le modèle de cette sorte d'imagination que je considère comme la plus grande conquête de l'art moderne* » (p. 104[4]) dit Kundera.

Une petite fille, éblouie par l'indicible beauté de la campagne suédoise sous le soleil de septembre, s'écrie spontanément :

« *Je ne savais pas que la vie était si belle* », se servant d'instinct d'une métonymie pour « *retenir* [*ce qui est*] *ressenti* [...] *hors des mots, globalement.* » (p. 17[9]). De même, *L'Amour* se sert du langage en dépassant la portée habituelle des mots pour heurter les habitudes de pensée et retrouver ainsi ces moments particuliers où un éclair soudain rapproche des temps éloignés, dévoile des analogies, donne à un détail une valeur de symbole universel. Pour Kundera, « *le roman est le lieu où l'imagination peut exploser comme dans un rêve* » (p. 31[4]). Il ne s'agit pas, avec ce texte qui n'est pas un roman, du récit d'un songe, mais d'une forme d'écriture qui en intègre les caractéristiques comme un moyen de distanciation du réel, au même titre que l'adoption du masque au théâtre, que la farine du mime ou le barbouillage du clown.

Angoisse du cauchemar ou de la folie, sommeil, hypnose, symboles — tout cela donne à *L'Amour* un aspect fantastique. Nous sommes transportés dans un monde absurde et magique, obéissant aux lois d'une causalité différente. C'est un monde aux couleurs de mort et d'épouvante, où le blanc domine, privé de vie, anémique. Ainsi sont blancs les murs du hall, « *le sol, les cendres blanches* » (112), la « *blanche capitale* » (14), la « *blanche patrie* » (116), le Casino qui est « *de la blancheur de la craie* » (120), la silhouette de la femme au « *visage blanc* » (10) : « *Elle est en blanc* [...]. *Elle porte un petit sac de jeune fille, également blanc, le sac blanc du voyage à S. Thala.* » (112), sac vide qui ne contient qu'une glace où se reflète son visage sans couleurs. De même encore le « *flacon rempli de pilules blanches* » (94), les enfants « *blancs dans leurs vêtements noirs* » (96), la maison mystérieuse « *meublée de blanc* » (76), les mouettes, « *blancs essaims* [*dans des*] *éclatements blancs* » (67).

Contrastant avec toute cette blancheur, la « *masse noire de la digue* » (36), la nuit noire dont le retour alterne avec celui du jour, la « *matière noire* » (23), les « *yeux très sombres, fardés de noir* » (79) de *la morte de S. Thala* aux « *cheveux noirs teints en noir* » (83). Et plus loin dans le récit, la femme pleure et « *sa main* [...] *posée sur le sable est salie de noir* » (120). Le feu qui fait comme un fond d'Apocalypse à ce paysage étrange, « *grandit, s'étend.* [...] *À travers la fumée noire jaillissent les premières flammes, le ciel rougit* » (139), tandis que S. Thala brûle dans le fracas des « *sirènes de l'épouvante* » (140).

Dans ces lieux aux couleurs de mort et de terreur, règne l'absence : « *Devant lui, la route vide, derrière la route, des villas éteintes, des parcs.* » (42). Sur la plage, « *la fumée des pétroles* » (28), un chien mort, « *face aux piliers d'un casino bombardé* » (33). Lieu fantôme, désert, où le voyageur trouve « *un piano fermé, des tapis roulés le long des murs,* [...] *des tables nues,* [...] *des rideaux épais,* [...] *une porte fermée* [...] *à clef* » (128-9). C'est une atmosphère de profonde désolation, de rejet, d'abandon.

Un thème traverse le récit, qui lui impartit une résonance troublante. On est surpris en effet, à plusieurs reprises, par une chronologie d'une précision étrange dans ce texte si indifférent à tout réalisme, et qui signale l'écoulement d'une durée : « *Trois jours. Trois jours au cours desquels il y a un dimanche* [...] *Trois nuits.* [...] *Ils sortent des trois jours d'obscurité.* » (32-3). Il faut remarquer au passage le télescopage des jours et des nuits en « *trois jours d'obscurité* », où *obscurité* prend immédiatement une valeur symbolique. On pourrait reconnaître dans ces notations un souvenir diffus des trois jours qui ont séparé la mort du Christ de sa résurrection, ces « *trois jours d'obscurité* » dont la mémoire reste latente dans toute conscience occidentale, susceptible par conséquent de surgir ici. À un autre moment, décrivant le Casino abandonné, l'auteur se sert d'une phrase en apparence incomplète, voire inutile : « *Les clous ont pénétré.* » (120). Allusion à peine suggérée à la Crucifixion, et que vient renforcer une image biblique d'une mélancolie infinie : S. Thala est montrée dans sa désolation, « *Babylone délaissée, au loin* » (106). Dans la même tradition iconographique, l'œil de Dieu représenté de façon impressionnante dans les coupoles byzantines, accompagne le récit où est très souvent mentionné un « *regard bleu d'une fixité engloutissante* » (17), qui se pose « *avec insistance* » (18), avec « *violence* » (115) sur son objet. (On peut remarquer une définition de l'extase qui ramène à certaines constantes du vocabulaire durassien, le ravissement, le regard, dans le *Larousse du XX*ᵉ siècle : « Ravissement de l'âme qui la soustrait au sentiment des choses sensibles. [...] État mental [...] caractérisé par la fixité du regard, dénonçant une intense contemplation interne. [...] L'extatique [...] paraît vivre uniquement dans l'image qui l'occupe et l'absorbe. »). Une évocation très suggestive qui s'y associe est celle de « *la voix au timbre lumineux* [*qui*] *lui porte sa réponse, sa clarté est éblouissante* » (19), voix divine ou prophétique, bien définie dans sa qualité de synesthésie mystérieuse.

La fonction de ces notations est d'ordre symbolique, elles établissent non pas une chronologie ou la comparaison avec tel événement, mais une sorte de tonalité, apportant au texte leur « *poids d'émotion esthétique* » (p. 67[10]). Car c'est bien l'histoire d'une mort et d'une résurrection que celle de cette femme qui entreprend dans *L'Amour* sa descente aux Enfers, au milieu d'un paysage ravagé, « *traces d'incendies,* [...] *bois brûlés,* [...] *pierres noircies* » (106), et qui en ressort pour une nouvelle Création du Monde : « *Dans la nuit de S. Thala,* [...] *la lumière augmente de façon indiscernable tant son mouvement est lent. De même, la séparation des sables et des eaux* » (142), avec ce bel emploi du pluriel.

III

COMPOSITION

DÉTERMINER quels sont les éléments d'un livre qui affirment dès l'abord sa profondeur, et imposent l'effort de lectures répétées, est une tâche ardue. Dans le cas de *L'Amour*, je crois pouvoir assurer que ce « je ne sais quoi » est avant tout d'ordre rythmique. Le texte coupé de blancs témoigne d'une composition rythmique délibérée dont la structure reste à définir. Mais la simple lecture souligne immédiatement ce caractère très élaboré d'une œuvre qui s'appuie sur le souffle avant de s'appuyer sur le sens. Lorsqu'à plusieurs reprises une lecture même aveugle révèle certaines combinaisons rythmiques constantes, celles-ci de par leur particularité même, soulignée par leur répétition, prennent un caractère envoûtant, et indiquent, comme le frémissement d'une baguette de sourcier, que là, en effet, se trouve une « source » de signification, d'émotion esthétique. Le même effet est produit lorsque certaines images, couleurs, ou mots évocateurs de visions floues mais semblables, attirent, à force de se répéter, l'attention du lecteur.

Le découpage en chapitres, absent, dans *L'Amour*, est donc remplacé par un découpage différent, marqué par des blancs, délimitant ce que j'appellerai des « séquences ». La séquence peut être définie comme une « unité narrative », c'est-à-dire qu'elle présente un seul événement, un moment de l'action avec son prélude, son déroulement et son épilogue*.

prologue

Après le prologue général du livre — qui présente le lieu et les trois personnages —, un événement se produit, « *un cri* » (9). Poussé par le voyageur, ce cri brise cette sorte de torpeur, ce « *réseau de lenteur* » qui pesait jusque-là sur la femme et les deux hommes, et provoque une réaction de leur part. Un mouvement concerté annonce le changement, car jusqu'ici, immobiles ou en mouvement, chacun des trois personnages, quoique combiné aux deux autres pour former un « étrange triangle », restait cependant isolé en lui-même. Maintenant, pour la première fois, s'établit une relation entre eux. Cela est indiqué par la construction différente en trois paragraphes rattachés l'un à l'autre par l'absence de majuscules à leur début et par la catégorie grammaticale inusitée du mot qui les introduit : « *mais* » (12). L'emploi des conjonctions dans *L'Amour* est presque exclusivement réduit à celles qui marquent l'addition ou la simultanéité. Jusqu'ici un seul *en effet* (10) à l'intérieur d'une phrase, a comme laissé entendre de façon à peine sensible, les débuts d'un changement non encore notable. Ce *mais* est par conséquent capital. Le cri du voyageur provoque donc un mouvement enfantin de défense chez la femme, et ce qui pourrait être une preuve d'attention soudaine, l'inquiétude, chez le marcheur. Il équivaut au premier geste du chef d'orchestre qui mobilise ainsi l'attention de ses

* Todorov emploie le mot *séquence* dans une acception particulière, mais lui attribue les caractères suivants : « [...] *la séquence provoque une réaction intuitive de la part du lecteur : à savoir qu'il s'agit là d'une histoire complète, d'une anecdote achevée.* » (p. 126[6]).

musiciens et groupe en un tout organique ce qui n'était jusque-là que juxtaposition.

Puis, « *le bras est retombé. L'histoire. Elle commence* » (13). C'est encore une fois irrésistiblement l'image du chef d'orchestre dont le bâton déclenche maintenant le début de l'événement musical. Cette histoire, elle existait déjà à l'état latent. « *Mais elle devient maintenant visible* » et va marquer de son empreinte « *le sable* [...] *la mer* ». Une véritable ouverture présente un premier thème, celui du voyageur, que caractérisent deux aspects principaux : son regard — « *l'homme qui regardait* », « *un regard égaré* », qui pour l'instant est en lui un trait dominant —, « *il regarde* » la femme devant qui, revenu « *de la direction de la digue* », « *il s'arrête* ». Et puis, la lenteur de ses mouvements, « *son pas est lent* ». On signale qu'« *on entend son pas* », puis qu'on le « *réentend* ». Les phrases qui peignent sa démarche sont complètes, on dit de lui qu'« *il revient* », puis d'où il revient, puis on décompose son mouvement par le moyen d'un complément indirect — « *à mesure qu'il s'approche du chemin de planches* » — et il touche au but : « *Il arrive dans le champ de sa présence* » et ce n'est qu'alors qu'« *il s'arrête* ». Cette marche s'accompagne d'une orchestration violente et cruelle : « *le bruit, des cris, des cris de faim* » des « *mouettes* ».

première partie
1re séquence

Après un silence indiqué par la reprise de deux mots clés, « *la lenteur* » (14) et « *l'égarement* », deux lignes parallèles établissent un rapport d'équivalence entre la femme et le voyageur. Elles se composent de trois phrases de construction et de longueur presque identiques :

Elle ouvre les yeux. Elle le voit, elle le regarde.
Il se rapproche d'elle. Il s'arrête. Il l'a atteinte. (14)

Le dialogue s'engage alors, questions qui ne demandent pas toujours de réponses, affirmations reprises par l'autre interlocuteur.

— Vous avez entendu, on a crié.
[...]
— J'ai entendu.
[...]
— Vous êtes arrivé ce matin.
— C'est ça. (15)

Certaines reprises intensifient le sens sans rien y ajouter de nouveau : « [...] *il l'a atteinte* [...]. *Il est là, à ses côtés.* » (14). Elle, sa voix est claire, ne contenant donc aucune charge émotive : elle a quelque chose de machinal, « *une douceur égale qui effraierait* » (15). Elle montre deux fois cet espace qui l'entoure, le nomme, et puis se tait. D'elle il sera seulement dit par la suite qu'« *elle se tait* » (15, 17, 18), à trois reprises, qu'« *elle regarde* » (14). Mais en face de sa graduelle descente dans le silence, un mouvement d'un autre ordre naît et va s'intensifiant. Alors que le voyageur avait annoncé la tombée prochaine de la nuit, voilà que la lumière « *change d'intensité* [...] *blanchit* » (14-5). Mouvement progressif, rendu comme inéluctable par la répétition du même verbe : « [...] *elle se change, change. — La lumière change.* [...] *La lumière change encore.* » (15). Et on aboutit à une phrase très étrange; parlant d'abord de la régularité de ce changement, l'auteur arrive à cet emploi absolu du verbe *être* : « *Encore la lumière : c'est la lumière.* » (16). Éblouissement, révélation peut-être. Les quelques notations qui suivent ont l'intensité d'un cri : « *Elle change, puis elle ne change plus tout à coup. Elle grandit, illumine, puis elle reste ainsi, illuminante, égale.* ». Verbe à l'indicatif d'abord, puis il passe au participe — indiquant déjà la qualité plutôt que le mouvement, et puis, point culminant, elle est juste nommée :

> [...] le voyageur dit :
> — La lumière (16)

C'est l'immobilité de l'extase. Alors, il y a comme un plateau, un moment de tension folle après lequel on se retrouve au même point :

> — La lumière s'est arrêtée.
> Le ton exprime un violent espoir.
> Lumière arrêtée, illuminante.
> Ils regardent tout autour d'eux la lumière arrêtée, illuminante. (17)

Plus loin, une fois encore, il sera signalé que la lumière s'est maintenue à ce même paroxysme : « *L'immobilité de l'air égale celle de la lumière.* » (18). Ce n'est que beaucoup plus loin, annoncée par une ponctuation qui semble aberrante, que cette immobilité prendra fin :

> Il a répondu :
> le mouvement de la lumière reprend, [...]. (19)

Les deux points annoncent une conséquence, et forcent à voir dans la réponse obtenue la cause de la reprise du mouvement, par une « *surestimation des mécanismes psychiques,* [...] *une conception magique du monde où la force du désir devient élément cosmique* » (p. 35[11]). Il y a donc ici une sorte d'hallucination, d'éblouissement lumineux qui a l'intensité d'une crise, et pendant lequel il se passe quelque chose — un arrêt du temps qui aura besoin d'une intervention précise pour reprendre son cours. Dans une discussion au sujet de *La Femme du Gange*, Marguerite Duras et Xavière Gauthier commentent ce phénomène rythmique très particulier au style de l'auteur :

> X. G. — C'est pour cela que je dis « ralenti ». Et c'est... pour moi, c'est l'érotisme, ça. Je l'ai ressenti d'une façon très, très érotique... un

mouvement ralenti, je ne sais pas comment le dire autrement. C'est-à-dire la tension qui est tellement forte, qui monte tellement et on ne fait pas le geste de décharge [...] qui serait rapide, qui atteindrait un but.

M. D. — L'orgasme?

X. G. — Oui, l'orgasme.

M. D. — C'est ça, l'orgasme n'a pas lieu.

X. G. — C'est cela, c'est pour ça que c'est d'un érotisme insupportable, on aurait besoin, presque, que ça aille plus vite et ça ne va pas plus vite, alors c'est... tu vois, on le ressent tellement plus fort... et alors... En même temps donc, il y a le mouvement que je dis ralenti et quand même, à des moments, il y a, non pas une rapidité, mais une fulgurance. (p. 126-7[2])

Que s'est-il donc passé? Elle a nommé « *S. Thala, jusqu'à la rivière* » (15) et « *du fond de S. Thala* » (16), suivant le geste de la femme, le *voyageur* voit revenir *l'homme qui marche.* Sa marche est régulière, tout à fait silencieuse, de près ses yeux sont d'une « *transparence frappante. L'absence de son regard est absolue* ». Et cependant, en opposition à ce caractère irréel, le marcheur fait preuve d'une activité intense. Dès la première phrase, trois verbes, tous précédés de leur sujet, le dessinent : « *Il revient, il avance,* [...] *il arrive.* ». Puis suit un paragraphe composé exclusivement du couple pronom-sujet et verbe, avec parfois un adverbe à valeur d'insistance : « *Il s'arrête. Il se retourne, il voit, il regarde lui aussi, il attend, il regarde encore, il repart, il vient.* » Suit un blanc, puis encore : « *Il vient.* ». Encore un blanc, et plus loin : « *Il arrive.* ». Par son rythme, ce retour du voyageur depuis le fond de l'horizon, prend le caractère d'une invasion de la conscience par quelque chose qui reste non défini, et puis d'une acceptation, avec le repos qu'elle entraîne.

À partir de là, alors que la femme se tait toujours, c'est le marcheur qui va dominer le groupe, parlant « *d'une voix forte* » (17). Son regard est d'une « *fixité engloutissante* », mythique, pareil au regard effrayant, démesuré et fixe des

Christs byzantins. Son dialogue avec le voyageur, banal à première vue, revêt un aspect étonnant, car à mesure que le temps passe, le voyageur éprouve une difficulté grandissante à parler, jusqu'à aboutir à un mutisme complet. Il semble se débattre sous l'emprise quasi biblique de ce regard, dans cette lumière arrêtée — comme le soleil par le prophète Josué*. Au début « *le voyageur cherche à répondre* » (18), mais cela lui demande un effort « *plusieurs fois, il ouvre la bouche pour répondre* » et n'arrive à produire qu'une réponse incomplète : « *C'est-à-dire... — il s'arrête —* ». « *Sa voix* [...] *sans écho.* ». Les efforts continuent, en vain, car il « *cherche toujours à répondre* », mais, dans « *l'impossibilité de répondre* » dit l'auteur qui répète les mêmes mots dans une sorte de martèlement, le voyageur a recours au geste. Cela l'aide, « *il parvient à avancer dans la réponse* » (19) et prononce un mot capital : « *— C'est-à-dire... — il s'arrête — je me souviens... c'est ça... je me souviens...* ». Épuisement. Une contraction se produit, sensorielle et musculaire : la « *voix au timbre lumineux* » lui arrache la réponse : « *Une poussée incontrôlable, organique, d'une force très grande, le prive de voix. Il répond sans voix : — De tout, de l'ensemble.* ». La séquence a atteint son point culminant, amené progressivement par l'échange entre le voyageur et la femme, débouchant sur l'arrêt du temps dans le paroxysme de lumière et l'impossibilité d'émettre le moindre son; et puis une « *force très grande* » suscite dans la violence l'aveu qui permet au mouvement et au temps de repartir. Le marcheur, assumant cette fois le rôle de la femme, reprend ses gestes, il « *montre autour de lui la totalité, la mer, la plage, la ville bleue, la blanche capitale* ».

* *Elle*, nº 2297, 15 janvier 1990 : « [...] *lisez-vous la Bible?* M. D. — *Je la lis à intervalles réguliers, je la relis. Jamais je ne l'ai abandonnée. Comment peut-on éviter de lire ce livre quand on l'a abordé? Comment peut-on le quitter? Je parle aussi du Nouveau Testament, surtout de Luc et de Matthieu.* »

Dans une identité absolue avec le geste de la femme, il prononce la même phrase : « *Ici, c'est S. Thala jusqu'à la rivière.* » (14, 19). Un dernier sursaut : « *Son mouvement s'arrête. Puis son mouvement reprend* » (20), et il répète le nom « *S. Thala* ». Un passage fait écho au prologue : « [...] *il montre de nouveau* [...] *la totalité, la mer, la plage, la ville bleue, la blanche, puis d'autres aussi, d'autres encore : la même* [...]. ». Ensuite, il part. Elle, enfin présente de nouveau, se lève et le suit comme une somnambule : « [...] *elle le suit. Ses premiers pas sont titubants, très lents.* [...] *Elle marche. Elle le suit.* [...] *Il fait nuit* ».

Un blanc après cette intensité terrible, un long silence, et c'est l'apaisement. Les phrases deviennent plus descriptives, toujours simples dans leur construction : le couple sujet-attribut, ou le couple sujet-verbe accompagné d'un complément court dont le rôle est de scansion plutôt que de signification. La nuit amène ses équivalents : la solitude (« *personne ne marche* » (21)), le silence (« *Ils ne se parlent pas* »), le calme (« *Il marche lentement* »). Mais la note d'angoisse subsiste jusqu'à la fin, contenue par exemple dans le mot *jamais* accolé à un événement sans importance : « *Le chien ne repasse jamais.* ». Certes, le chien ne compte pas. Mais le néant, l'irréversibilité, eux, sont essentiels : *jamais* introduit l'éternité dans le présent. Le voyageur perd son identité : « *On ne voit plus son visage.* ». Et « *des embouchures* », sous un ciel « *très sombre* », arrive « *un choc sourd* », comme un dernier coup de percussion, en sourdine.

Ce passage (13–21) s'impose d'abord par sa composition circulaire parfaite, où le prologue s'achève dans l'épilogue, et où l'entrelacement de deux éléments atteint un point culminant avec défaite de l'un sous la violence croissante de l'autre. Sorte de contrepoint où une voix serait représentée par la lumière, et l'autre par le voyageur, seul présent d'abord mais bientôt rejoint par le marcheur qui, impitoyable, le rend muet jusqu'au moment où il lui arrache l'aveu suprême : « [...] *je me souviens...* [...] — *De tout* [...]. » (19) — et le laisse alors, coupable, détruit, tandis que lui repart, ayant comme repris la femme sous son emprise, au point de répéter ses gestes, ses mots, d'assumer son rôle. Combat, oui, entre, on serait tenté de le dire, l'Obsession et la Tentation de la liberté. Allégorie, oui, mais présente dans le rythme et les phénomènes sensoriels, où les vrais combattants ne sont nommés à aucun degré, à l'aide d'aucun symbole. D'où son impact.

2e séquence

Une autre séquence semble reprendre ce même mouvement où la femme, comme hypnotisée par le voyageur, le rejoint, engage le dialogue avec lui, interrompue alors par l'irruption du marcheur qui brise leur accord ; mais cette fois-ci, un *ils* final termine ce fragment où les trois personnages se retrouvent dans la nécessité de rester ensemble (42). Une fois de plus, c'est le soir, encore éclairé par la « *lumière solaire* » (33). La femme et le marcheur quittent une retraite mystérieuse, « *trois jours d'obscurité* ». Le voyageur va à leur rencontre et au moment où elle « *le reconnaît,* [...] *l'autre fait volte-face, il repart* » (34). Une « *forte lumière* », seule désignation d'un établissement, défini plus tard comme un « *café* » (35) les attire, et ils s'y installent car la femme « *a faim* » (34). Différente cette fois du premier passage où elle semblait privée de tout désir, elle est ici avide : « *Elle mange, elle regarde, elle entend.* » (35). Elle existe vraiment, enceinte, sentant « *le sable* » et « *le sel* ».

Ce passage représente l'équivalent auditif de l'hallucination visuelle du passage précédemment analysé. Le bruit très naturel d'abord, « *des flots de paroles, des paroles, des rires* » (35), s'amplifie, « *grandit* » au point qu'elle en souffre et que « *ses yeux s'ouvrent douloureusement* », ces yeux que « *l'orage a noirci*[*s*] ». En même temps qu'elle souffre du bruit, elle éprouve aussi une sensation d'étouffement : « *Elle est à regarder ici, l'endroit enfermé* » (36), alors que son compagnon « *cherche à voir* [...] *au-delà des vitres* ». Le spectre de l'homme qui marche, « *ombre* », « *se dirige activement vers la masse noire de la digue* ». Elle se rassure, voit que « *le voyageur, l'homme de l'hôtel* » est « *à côté d'elle* ». Sa main « *tiède* » (37) « *touche le visage qu'elle regarde* ». Douceur, communion : « [...] *ils se regardent.* ». Et puis, la solitude revient, autour d'eux « *le bruit décroît. L'endroit se vide* ». On pourrait croire que de nouveau tout va s'arrêter : « [...] *le bruit* [...] *décroît encore.* ». Mais, en proportion inverse, comme une « *menace* » qui « *semble grandir à mesure que décroît le bruit* » : « *Le rongement incessant, là-bas, recommence. Il grandit. Il se transforme. Il devient un chant.* » (38). Véritable crescendo où ce qui décroît et augmente n'est pas l'intensité d'un même son, mais le remplacement des éléments d'un bruit par ceux d'un autre bruit. « *C'est un chant lointain* », une « *musique* », « *une marche lente aux solennels accents. Une danse lente, de bals morts, de fêtes sanglantes.* » (38-9). Plus de verbes. Plus rien que cette angoisse grandissante, les mots *terme* (37) et *menace* remplacés par *morts* (39) et *sanglantes*, et accolés dans une cruauté baroque aux mots *bals* (39) et *fêtes*. Solennité hiératique, impitoyable, du mot *hymne*. Obsession : « *La musique continue encore.* [...] *La musique continue encore.* ». À cet envahissement le voyageur réagit par la peur, les larmes, et elle, par l'immobilité : « [...] *elle ne bouge pas, elle ne respire plus* [...]. ». Elle dit : « — *Il faut que je dorme ou je vais mourir.* ». Il s'agit de fuir dans le refus de la conscience pour échapper à cette terreur, à la mort. Alors, de nouveau, surgit l'homme qui marche. « *Le voici.* » (40), véritable apparition. Dans la séquence précédemment étudiée, un mot énigmatique et isolé le montrait dans une sorte d'épiphanie tragique, solennelle : « *Accident.* » (16). Il est d'abord triomphant :

> Il entre dans l'espace clos, seul [...]. (40)

Deux phrases sans verbes donnent à voir cet « *homme qui marche* ».

> Le voici.
> [...] Tout à coup, avec lui, l'iode de la mer, le sel, la fulgurance bleue des yeux du plein jour, de nuit pleine.

Attitude mâle, victorieuse :

> Il se dresse [...].
> Il reste dressé. [...] Un sourire pur balaie son visage.

On le sent ressuscité dans le souvenir de cette musique. Mais cette fois, il va rejoindre le voyageur dans sa détresse : « *Les yeux bleus à leur tour se remplissent de larmes.* » (40). Et la « *musique cesse* ». L'homme qui marche est atteint dans sa sérénité de mécanique : « [...] *je me suis perdu* [...]. — *Je ne savais plus revenir.* » (41). Par deux fois est désignée sa nouvelle faiblesse : « [...] *il oublie.* ».

Dans la mesure où ces deux séquences mettent en quelque sorte en scène une bataille entre les deux hommes dont l'enjeu est la femme, alors que la première fois le marcheur l'emportait, cette fois-ci ils se rejoignent dans une douleur commune, et quittent ensemble « *l'espace clos* » (40). Séquence rythmique qui reflète un effort pour atteindre quelque chose d'enfoui dans l'oubli et qui surgit sous des apparences multiples — personnages, musique.

3e séquence

Une troisième séquence qui signale sa présence par l'entrelacement serré de deux « chants » lexicaux — celui du sommeil et celui de la douleur — mérite d'être ensuite analysée (43–55). Le paysage est noté avec un soin particulier. On est sur une île, entre les deux bras de la rivière, le ciel est « *très bas, très sombre, noir par endroit* » (43). La gare fermée, « *un grand bâtiment de pierre de forme simple* » constituent les autres éléments de ce décor sinistre. On remarque le crescendo dans le tragique qui marque l'ensemble de ce premier mouvement de *L'Amour*.

La femme dort ; « *elle dort profondément. Sa respiration est régulière, aisée* » (44). À plusieurs reprises, cela est répété, à l'aide de la forme la plus simple, toujours identique : *elle dort*, de même que dans la première séquence on avait *elle se tait*. Sont mentionnés aussi à deux reprises, « *la tête parfaitement* [...] *endormie* » (48) puis « *le corps endormi* » (51). À cette première série de mots s'entrelace une série contrapuntique. On entend « [*t*]*out à coup une plainte* » (44). Elle est difficile à identifier, et ressemble à une « plainte d'enfant » (45). Toutefois, cette plainte semble partir de « *l'endroit où elle dort* ». La mention de la plainte se fait de plus en plus fréquente : elle est répétée huit fois, et on arrive à un paroxysme : « *La plainte appelle. La plainte crie.* » (47). Et avec le crescendo de la violence, c'est la détresse que souligne la répétition : « *La plainte appelle encore.* ». Puis, il semble que la souffrance s'apaise progressivement : « *La plainte d'animal rêvant se fait plus douce.* » (48). On la nomme de nouveau : « *plainte de l'enfant* » et encore : « *plainte coléreuse de l'enfant* » (49). Decrescendo : « *La plainte vient de s'espacer.* » (50). Calme : « [...] *la plainte vient de cesser.* ». Et les deux hommes, unis dans le pronom *ils*, s'approchent de la femme et la regardent : « *Les lèvres se sont refermées. La respiration, patiemment, se fraie une voie dans la respiration de l'ensemble.* » (51).

Comme dans les deux séquences précédentes, en face des trois personnages, un élément extérieur rythme l'ascension, souligne le paroxysme, et accompagne l'apaisement de la crise. La lumière d'abord, la musique ensuite; ici, c'est la mer. L'île, entre les deux bras de la rivière, se trouve « *face aux embouchures, à la trouée de la mer* » (44). Tourmente. Dès le départ, le ciel est sombre, il « *y a des traces de l'orage, des branches cassées* ». C'est le moment où la « *mer monte entre les berges de vase* » (43). Le bruit des moteurs des bateaux qui prennent la direction du large en « *une longue chaîne* » (44) se mêle au « *bruit de la mer* » (45) bientôt devenu « *le fracas de la mer* ». Dans un mouvement orchestral, comme dans un concerto, la plainte va s'intensifier, s'accélérer, se mêlant à la voix de plus en plus puissante des eaux : « *Le bruit augmente. Et la plainte. Et le désordre des embouchures.* » (46). Il y a là un élan irrésistible, rendu par des répétitions plus ou moins textuelles : « *Les bruits des moteurs se multiplient encore, le mouvement des bateaux se multiplie encore, l'engouffrement de la mer continue.* ». On arrive au paroxysme : « *Il montre l'embouchure tourbillonnante* [...] *la rivière envahie, les déchirures de l'eau, le mélange des forces d'eau, la remontée brutale du sel vers le sommeil.* » (47). Et c'est à ce moment, comme contre la brutalité d'un viol, que la « *plainte appelle. La plainte crie* ». Simplicité poignante de la phrase si dépouillée en face de la richesse de ce qui précédait.

Le sommet est atteint, la terre comblée, les eaux souveraines : « *La mer monte toujours. La rivière se remplit. Les berges sont noyées.* » (46). Alors « *des embouchures* » (49), une « *brume arrive très ténue* » par rangs gracieux, « *dansants* », et c'est l'apaisement : « *On distingue déjà moins le mouvement des eaux. L'engouffrement du sel perd de sa force.* ». Le silence, le calme se manifestent en mer et envahissent la dormeuse. Une magnifique métaphore assimile l'eau et la femme : « *Une vallée d'eau commence à se bâtir entre les berges de vase. Aux embouchures, une différence commence à se voir : la mer s'ourle de blanc, le sel se sépare, ne pénètre plus. Les pentes d'eau sont comblées.* » (50). En même temps, « *la plainte vient de cesser* », et la dernière phrase de la séquence réalise l'harmonie : « *La respiration, patiemment, se fraie une voie dans la respiration de l'ensemble.* » (51).

Ici, dans cette troisième séquence, l'homme qui marche et le voyageur sont séparés de la femme qui dort et se plaint, vue et entendue par eux mais inconsciente de leur présence, unie à la nature par-delà les hommes.

Cependant, cette fois, un autre thème, entrelacé aux autres (la femme et la mer) est apparu, un dialogue entre les deux hommes, repoussant le blanc qui aurait dû terminer cette séquence : le thème du commencement, du temps. Une confusion voulue crée une espèce d'identité entre les deux hommes, le pronom *il* renvoyant tantôt à l'un, tantôt à l'autre, sans que cela soit immédiatement clair. Des adverbes, *en premier*, *après*, une répétition du verbe *commencer* signalent ce nouveau thème. On remarque encore une fois cette technique de la progression par glissements successifs : le même groupe sujet-verbe, *le silence commence* (50) s'accompagne d'un complément circonstanciel qui change : au « *départ des bateaux* » se substitue « *les temps* ». Puis, *commence* passe d'un sujet : « *une vallée d'eau* », à un sujet nouveau : « *une différence* ». On dirait que toute cette séquence mime l'affolement, puis l'apaisement de la relation amoureuse : « *La colère, la plainte vient de cesser. Un dernier flot de paroles sort de lui. Ses yeux brillent et se ferment, face à la paix des eaux.* ». Comme dans une transe, le fou, perdu dans sa contemplation, murmure un couplet lyrique, une action de grâce qui invoque la femme — laquelle? — avec la douceur d'une litanie :

> — Objet du désir absolu, [...] sommeil de nuit, [...] ouverte à tous les vents [...] — objet de désir, elle est à qui veut d'elle, elle le porte et l'embarque, objet de l'absolu désir. (50-1)

Le chiasme qui encadre cette courte élégie est une figure d'ouverture et de fermeture. Alors, ses « *yeux s'ouvrent* » (51). Cette parenthèse lyrique permet aux deux personnages masculins de se reconnaître, de se rejoindre, de se perdre l'un en l'autre : « [...] *dans la transparence de ses yeux tout se noie, tout s'égalise* [...]. » (52), et alors la femme peut les accueillir dans son sommeil. « *Elle les regarde : elle dort les yeux ouverts.* ». Comme un duo, les deux voix mâles alternent :

> [...] il continue :
> — C'est un pays de sables.
> Le voyageur répète :
> — De sables.
> — De vent. (53)

Ce duo est repris de manière presque identique beaucoup plus loin, au seuil du voyage dans S. Thala, comme chanté par le voyageur et la femme :

> — Avant, dit-elle, c'était un pays de sable.
> Il dit :
> — De vent.
> Elle répète :
> — De vent, oui. (108)

Cependant l'imparfait, cette fois, lui confère un caractère de nostalgie et d'innocence.

Mais une voix discordante rappelle que la douleur n'est pas vaincue : douleur de la femme qui « *fait* » (52) ses enfants, « *la ville en est pleine, la terre* » — halètement — « *elle leur donne* » — le souffle fait défaut, la proposition reste inachevée — puis essai de reprise : « *Elle les fait là, du côté du cri* » (52), « *le jour du cri* » (53).

Quelle est cette étrange ubiquité : « *Elle a habité partout* » (53), cette « *prison dehors les murs* » (54), alors que « *dans les murs, c'est le crime* »? Et comble de dissonance, il y a deux expressions familières, désinvoltes, qui étonnent dans ce contexte, « *ce truc* » (52), « *et coetera* » (54). La peur resurgit alors : « *Elle a oublié? — Rien — Perdu? — Brûlé. Mais c'est là, répandu. Il montre avec négligence l'enchaînement continu, la matière noire.* » (55). Avant le blanc, la séquence se termine dans l'enfermement du lapidaire, de l'indicible.

4e séquence

L'Amour présente une quatrième séquence narrative et rythmique aussi structurée que les trois précédentes, mais les protagonistes en sont différents. Le voyageur est maintenant avec la mère des enfants. Sur un arrière-plan apocalyptique d'incendies que déchirent les sirènes des voitures de police, se déroule une scène étrange dans le hall de l'hôtel. Deux enfants sont là, « *blancs* [*dans leurs*] *vêtements de deuil* » (85), immobiles, ignorant leur mère et le drame qui la terrasse. Les voix sont calmes, neutres, le dialogue presque inexistant, semé de *jamais*, de *rien*, de questions sans réponses. Traversant le « *rectangle de lumière qui sépare l'homme des enfants* » (97), la femme est en proie à une agitation folle. Elle étouffe, « *elle cherche l'air, elle court sur le balcon, se cogne à la porte* ». Cette porte est un obstacle puissant : elle « *s'immobilise là, contre la porte* » et comme dévorée d'humiliation, « *se cache le visage dans ses mains* ». Malgré l'intensité de ses mouvements, elle reste ignorée des enfants. Alors elle « *revient du balcon* » (98), et pousse « *un cri sourd de suffocation* ». Cela va se répéter, scandant désormais toute la scène, « *la femme court, crie* » dans l'indifférence générale, s'affole, remplaçant de ses cris le bruit des sirènes qui « *diminuent brusquement d'intensité,* [*puis*] *cessent* ». La femme est épuisée, elle implore à plusieurs reprises : « — *Partons de cet endroit je n'en peux plus.* » (99). Se heurtant encore au silence, elle « *arrive* » vers les enfants et essaye de les entraîner. Suit alors un paragraphe dément. La mère « *bouscule avec force* » (100) les enfants au point que l'un d'eux tombe. Cela rappelle le moment où, dans *Le Ravissement de Lol V. Stein*, au matin, lorsque sa mère vient la chercher, Lol la repousse et la fait tomber. Il y a là réminiscence et confusion des rapports et des rôles des différentes générations.

Soudain hystérique, la femme « *le ramasse, le fait tenir debout, le pousse, prend la petite fille, la bouscule aussi, la pousse, pousse devant elle, n'arrive pas à rassembler, pousse, fait avancer, hurle, hurle* » (100). Elle est elle-même épouvantée : « *Elle prend peur ; elle crie : — J'ai peur* [...]. ». Même indifférence des autres que cela ne semble pas concerner. Elle est dans une solitude totale, en proie aux mêmes mouvements fous : « *Elle pousse dans le dos, fait avancer, pousse, pousse de toutes ses forces vers la porte du hall.* ». Le lecteur demeure haletant, frappé par ces deux phrases longues et désordonnées composées de verbes qu'accompagnent parfois seulement le pronom-sujet, par le nombre de virgules, par la répétition pantelante de certains mots, en particulier *pousse, crie, hurle*.

Puis le rythme se brise. Les phrases soudain très courtes, parfois sans verbe, sont suivies de blancs :

> La porte.
> Elle est atteinte.

La porte, encore [...]
Par la porte du balcon, le sable, la mer. Longtemps. Puis il sort.
(100-1)

Il? Pourquoi soudain ce pronom masculin? Elle, on ne la retrouve — si c'est bien la même femme — qu'après un très long silence. Et sa détresse convainc que c'est bien la même femme, même si elle est dédoublée peut-être dans la conscience de l'homme ou dans la sienne propre : « *Elle est contre le mur, dans la chaleur. Ses yeux sont presque fermés. Des larmes coulent sur son visage.* » (101). Si faible, si pitoyable...

Cette femme que l'on a vue, totalement isolée, séparée des autres par ce mur infranchissable et invisible qui est celui du cauchemar, ignorée de l'homme, des enfants — les siens —, dans l'épouvante, l'effort fou jusqu'au paroxysme, et puis dans l'effondrement des larmes... Quelle qu'elle soit dans *L'Amour*, au-delà du sens des mots, au-delà du texte, comme en surimpression, elle est la femme seule dans l'horreur de l'accouchement, douleur physique, arrachement, abandon. Ce rythme terrible, lancinant, c'est celui de la malédiction biblique, de la délivrance dans la douleur, qui lie inextricablement la naissance et la peur, la vie et la mort.

Ailleurs, Marguerite Duras a parlé de l'accouchement en termes poignants : « *L'accouchement, je le vois comme une culpabilité.* [...] *Ce que j'ai vu de plus proche de l'assassinat, ce sont des accouchements.* [...] *C'est vrai, c'est un assassinat. L'enfant est comme un bienheureux. Le premier signe de vie, c'est le hurlement de douleur.* [...] *C'est des cris d'égorgé, des cris de quelqu'un qu'on tue, qu'on assassine. Les cris de quelqu'un qui ne veut pas...* » (p. 23[8]). Mais l'accouchement, c'est aussi ce qu'on appelle la « délivrance » de la mère. Exemple frappant de situation ambiguë où il peut s'agir d'une délivrance non désirée, ou non consciemment désirée, et où la souffrance peut être indifféremment celle de l'un ou de l'autre des protagonistes engagés dans ce corps à corps. L'accouchement est bien une séparation d'avec des enfants réels ou symboliques — souvenirs, pensées —, que l'on tue lorsqu'on s'en « délivre ».

Cette séquence s'assimile donc aux trois précédentes, mais pas complètement. Elle est l'aboutissement de deux ensembles structuraux, celui étudié jusqu'ici, et un second, composé différemment, qui met en scène soit la femme et le voyageur dans une série de dialogues, soit le voyageur et un personnage extérieur, la destinataire de la lettre, l'habitante de la maison. Cela conduit à la quatrième séquence après laquelle la femme et le voyageur se rejoignent enfin, et à la conclusion de la première partie de *L'Amour*.

thèmes de liaison

Au niveau de la composition de *L'Amour* dans son ensemble, la première partie se présente alors comme l'entrelacement de deux types de passages : ces quatre séquences qui sont très structurées, construites autour d'un mouvement fortement rythmé, qui va crescendo puis s'apaise jusqu'à un blanc qui clôt l'ensemble, et le développement plus linéaire de thèmes différents qui relient les séquences entre elles et permettent au récit d'avancer vers sa conclusion.

Le premier de ces thèmes est introduit par la femme dans une première rencontre où elle est de nouveau seule avec le voyageur : elle est enceinte et se sent mal. Elle le dit clairement : « — *J'attends un enfant, j'ai envie de vomir.* » (23). Tout un réseau de mots attirés par association encadre cette déclaration : « [...] *ses lèvres sont serrées. Elle est pâle* [...]. », détails qui la vont voir dans sa détresse, et qui sont complétés par la suite, à l'aide d'autres notations. Ainsi cette immobilité : elle « *est sans mouvement aucun* », elle « *se tient, le visage vers le sable* » (24), elle regarde « *avec prudence, précaution* » (26), « *elle s'immobilise* » (27). Dans l'intervalle elle peut à peine parler : elle « *répond avec un léger retard* » (24), s'interrompt et « *reprend* » à chaque fois ses réponses, et souvent, Elle « *fait signe* » (25) simplement. On la sent qui se rétracte devant une violence étrange, « *le mouvement nauséeux de la houle, les mouettes de la mer qui crient et dévorent le corps du sable, le sang* » (23). La plage autour d'elle est comme animée soudain dans une vision cruelle, et évoque en même temps quelque rite sacré — le corps, le sang...

Tout fait écho à sa lenteur effrayée : « *Ils attendent.* [...] *Attendent encore.* [...] *Attendent.* » (25-6) et en même temps, l'éblouissement du début se reproduit : « *La lumière est intense.* » (23), et se résout en « *éclatements blancs* » (26), puis « — *La couleur disparaît.* ». Cela est dit par le voyageur et redit en écho une seconde fois : « *La couleur disparaît.* ». Cette répétition semble imiter le mouvement de la « *houle* [*qui*] *affleure* » et se retire lentement. La femme, avec ce repliement sur elle-même si caractéristique des femmes enceintes, est dans une tension extrême : « [...] *elle respire, elle remue, elle regarde, longtemps elle inspecte l'obscurité qui vient, les sables.* [...] *Elle entend, elle écoute* [...]. » (26-7). Double intériorité de *remue*, qui fait penser aux coups sourds de l'enfant dans elle, et de *sables*, ce mot vague, presque abstrait dont Marguerite Duras dit : « *Les sables* [...] *c'est l'enfance.* » (p. 134[2]). On la dirait attentive à ce qui se passe en elle, à quelque chose de mystérieux comme un éveil qu'elle discerne à peine : « *Elle ne sait pas précisément.* » (27). Enfin elle ose, rassurée, prendre une initiative : « *Elle bouge. Elle le regarde, lui le voyageur* » et non pas, cette fois, l'homme qui marche, « *elle scrute les vêtements, le visage, les mains. Elle touche la main, l'effleure avec précaution, douceur, puis elle l'appelle* [...]. » (28). Notons en passant le glissement si typique : *les mains - la main.* Répétition légèrement modulée. Ce qui se passait en elle comme une prise de conscience, accède au niveau de la parole. Elle mentionne « *le cri* ». Immédiatement, un mouvement s'amorce, comme une invasion de clarté en elle, son ton change, « *elle est nette* » (29) soudain, et à l'horizon, « *il surgit* » (28). Ce premier *il*, ambigu, crée une identité entre le cri, qu'on croit être son antécédent et « *celui qui marche* », précision qui arrive ensuite et corrige l'erreur. Ambiguïté voulue de toute évidence, car « *le cri* », c'est entre autres choses la douleur inarticulée, obsédante que représente le fou. Mais c'est aussi, dans un élargissement impressionnant, la douleur de l'humanité tout entière :

> — [...] le cri arrivait de plus loin.
>
> [...]
>
> — De partout [...] — ils étaient nombreux : des millions [...] tout est dévasté. (30)

À partir de là, le mouvement remplace l'immobilité de ce début de scène et le marcheur s'impose à l'aide d'une série de groupes rapides — sujet-verbe pour la plupart : « *Il arrive* [...]. *Il est là. Il les regarde. Il s'assied, il se tait* [...] *puis il parle* [...]. » (29-30). Mais cette agitation est vaine : le voyageur n'est plus subjugué par lui, il pose à son tour des questions et c'est lui cette fois qui obtient de l'autre l'aveu angoissant : « [...] — *je suis fou.* » (31). À la fin, elle suit le marcheur, c'est vrai, mais avec difficulté, « *avec retard* » (32).

Il sera reparlé des enfants que « *fait* » (52) cette femme « *du côté du cri* » et encore, à deux reprises, dans deux courts passages sans dialogues, on la reverra, préoccupée par cette mystérieuse naissance. D'abord, une première fois, le fou l'accompagne : « *Peut-être préparent-ils la naissance de l'enfant, là-bas, derrière la digue du cri de S. Thala.* » (68). La femme est décrite dans une phrase où deux adverbes contradictoires semblent retirer toute réalité à ce qui est dit : « *Elle marche légèrement courbée, presque lourdement : on dirait en effet qu'approche la naissance d'un enfant.* ». Plus tard, par une « *nuit noire* » (73), tragique, elle « *va, dans la nuit, droit* [...]. *Elle fonce, bestiale* ». Cette fois la cause de son activité butée, implacable, est clairement nommée : « *L'enfant, c'est l'enfant, sa naissance.* ». Les rôles sont intervertis : « *Lui, l'autre, cette nuit, la suit.* ». De cet enfant, de cette naissance, il ne sera plus fait mention. Mais indéniablement la quatrième séquence, où pourtant la femme semble être une autre femme, couronne ce thème, dans un rythme obsédant, des mots précis, véritable scène d'accouchement où une délivrance s'accomplit dans la fièvre et l'horreur.

Un second passage relativement long, qui réunit de nouveau la femme seule et le voyageur, introduit cette fois un thème qui annonce la seconde partie du récit : le voyage. Ce mot a été dit et abandonné tout de suite une première fois, dans la scène du café : « — *Il s'agit d'un voyage — il s'arrête.* » (37). Repris ensuite par la femme (« — *Je suis venue vous voir pour ce voyage* » (61)), il s'entoure d'autres lignes thématiques très complexes. Il y a l'hôtel qui semble la plonger dans « *le désarroi* » (57), qui « *la poursuit* », la laisse « *tremblante* » (58). Et puis il y a l'évocation de la mort, mais celle du voyageur, qui la nomme dans « *une sorte de cri* » (61). Elle y répond par une « *douceur* » (62) qui neutralise « *la brutalité du cri* », « *dilue* [...] *la menace obscure* ». Elle refuse la pensée de sa mort, puis résolument, elle aborde l'évocation du passé : « *C'est de ça qu'on se connaissait* [...]. » (63). Elle insiste : « — [...] *vous êtes venu à S. Thala pour moi.* [...] *Tout le monde me voit* [...], *vous, vous avez vu autre chose en plus.* » (63-4). L'explication est tentée, obscure : ce qu'elle a vu en elle, c'est « *Lui* » (64),

« *qui marche au loin* ». Il voulait se tuer, mais y a renoncé, voyant « *qu'on était encore là* ». Mais le mot clef attendu se dérobe :

> — Vous vous êtes rappelé.
> — Oui — il ajoute — de — il s'arrête.
> — Je ne sais pas le mot pour dire ça.
> Ils se taisent. (65)

C'est pourtant au cours de ce passage qu'une aide est fournie au lecteur, une explication qui se dérobe derrière le remplacement de *car* ou *en effet* par une simple virgule : « *Elle ne suit jamais que l'autre homme de S. Thala, elle doit avoir peur de suivre le voyageur.* » (60). En effet, à la fin de ce passage, allant rejoindre le marcheur, et quoiqu'elle ait dit à deux reprises « *je reviendrai* » (65), au lieu « *de revenir sur ses pas, il continue, elle continue avec lui* » (66). C'est là une des très rares explications du récit, et encore est-elle camouflée. On précise plus loin qu'à un autre moment où elle reprend le sujet du voyage avec le voyageur, lorsque le soleil se couche, « *elle doit attendre l'autre pour qu'il l'emmène dans le sommeil* » (75).

Visiblement, tout au long de ces textes, ce qui est peint c'est l'effort accompli par la femme pour se séparer de l'homme qui marche, à la fois de son autorité à lui, et de sa dépendance à elle vis-à-vis de lui, et pour arriver à rejoindre enfin le voyageur.

Le troisième thème qui, comme celui de l'accouchement puis celui du voyage, intervient entre les grandes séquences et les relie entre elles, concerne cette fois le voyageur. Celui-ci à son tour doit se libérer de deux femmes, « *la morte de S. Thala* » (83) et la « *mère* ». Après deux tentatives avortées pour entrer dans la maison qui « *invite* » (55) et « *fait peur* », il fait un troisième essai, réussi cette fois, qui les conduit à un long dialogue, lui et la morte, au cours duquel son image à elle se transforme, se décompose, s'efface. Au début, elle « *est en robe d'été* » (76), elle « *sourit* [...] *prend une cigarette* » (77). Bientôt, elle « *voit, voit le regard* [...], *son regard fixe le parc et revoit la totalité du passé* » (80-1). « *Insensiblement un changement du visage se produit* » (82). Description soudain sinistre : « *Le sourire s'est collé en plein visage. Dessous, le visage devient méconnaissable* [...] *droite, rigide* », elle fait penser à la mort : « *L'épouvante passe, terrasse, parc, lieux d'épouvante tout à coup.* » (83). Et elle « *le laisse aller. Elle reste là. Là.* » (84), tandis que lui « *ouvre la grille, sort. Dehors. L'espace* ». Elle est exorcisée. Il s'est délivré d'elle.

Dans la quatrième séquence qui suit pratiquement ce passage, séquence si troublante pour le lecteur à cause de son rythme agité, de son caractère de souffrance démente, de sa couleur d'apocalypse, une double liberté est conquise. Orphée définitivement dépouillé et revenu des Enfers, le voyageur sort « *par la porte* » (101) qu'en même temps que lui a atteinte la femme. Elle est épuisée, « *contre le mur, dans la chaleur* », le visage baigné de larmes.

La phrase prononcée alors consacre leur union : « *Vous non plus vous n'avez plus rien maintenant.* » (102).

transition

Une transition conduit de la première à la seconde partie du récit. Ce passage (101–5) de ton purement lyrique, est construit sur un thème, la souffrance, et son équivalent métaphorique, l'eau.

Tandis que l'homme est fasciné par le sable : « *Il regarde le sable* [...]. [...] *Il prend du sable. Touche le sable.* [...] *Retourne au sable.* [...] *Reste rivé au sable.* » (102–4), elle, elle pleure. « *Elle pleure.* [...] — *Sur l'ensemble.* » (102-3), s'enferme dans une méditation sur la mort que l'auteur décrit en termes étonnants : « *Elle* [...] *se détourne de tout, rentre dans le chien mort. Elle y reste longtemps, autant de temps qu'il faut à la lumière pour s'éteindre.* » (104-5). Sa participation à la souffrance du monde entraîne une obscurité — des « *orages* » —, qui rappellerait celle du Vendredi de la Crucifixion. Mais il n'y a ici que la douleur pure, sans aucune brutalité. C'est ce qu'évoque le monde liquide des larmes, de la mer, de la pluie, immensité que rien ne peut borner, éternité, et aussi continuité fluide, sans heurts, sans chocs. D'où la délicatesse de certaines notations : « *La mer est lointaine à travers les paupières entrouvertes* [...]. *Elle le voit à travers les larmes.* » (101). La lumière elle-même est liquide au-dessus de la mer, « *lumière pluviale* [...] *rideaux de pluie ensoleillée* » (105). La femme a des gestes d'enfant, lents, légers, traduisant l'innocence : « *Elle lève ses mains, les regarde à son tour, les repose.* » (102). Et pourtant ces mains noires, on ne peut s'empêcher à leur sujet d'évoquer les mains tachées de sang de Lady Macbeth, nouvelle et troublante ambiguïté.

La deuxième étape de cette transition (106–10), aborde le thème de la mémoire dans une très jolie évocation du passé, lyrique elle aussi, mêlant les voix et la nature :

> Une brise fraîche arrive de la mer, très douce, à l'odeur d'algues et de pluie.
>
> — Avant, dit-elle, c'était un pays de sable.
>
> Il dit :
>
> — De vent.
>
> Elle répète :
>
> — De vent, oui. (108)

Elle nomme « *les fleuves* », « *les champs* », « *l'été* » (109), et dans la « *lumière d'or sous un ciel clair* » où « *s'aventurent les lents vaisseaux de la pluie* » (110), elle « *arrive, légère* » pour partir enfin avec le voyageur « *à travers l'épaisseur de S. Thala* ».

deuxième partie

La structure de la deuxième partie de *L'Amour* est linéaire, suivant la chronologie.

La femme, accompagnée du voyageur, s'engage dans S. Thala. Leur progression va scander le texte, le découpant par le retour de phrases semblables : « *Ils marchent* » (110), « *Ils avancent* [...]. *Ils marchent* » (112), elle « *marche* [...]. *Ils avancent* » (116). Bientôt « *un changement se produit* ». La route, d'abord « *plane, facile à parcourir, machinale* » (111), se transforme, « *monte* » (115). Au début, la femme marche « *dans S. Thala,* [...] *droite, face au temps, entre ses murs* » (110). Le possessif ici est d'ailleurs ambigu, car il peut s'agir aussi bien des murs de S. Thala, que des murs du temps, cela revient au même. Cette ambiguïté reprend celle du nom de S. Thala, à la fois ville et prison de la mémoire, et celle des murs eux-mêmes, ceux qui retiennent la femme prisonnière d'un souvenir, et ceux de la ville pétrifiée. Comme un leitmotiv, ils reparaissent plus loin, « *murs blancs* » (118) de ce blanc qui est absence de réalité tangible, et reviennent encore, transformés soudain en cauchemar, torturants : « *Les murs battent, blancs, ils se multiplient de chaque côté de la marche* [...]. *Les murs augmentent en nombre, se multiplient, ils se coupent, se suivent, se recoupent, ils battent dans les tempes, font saigner les yeux.* » (119). Autre symbole d'oppression qui augmente, la chaleur se fait de plus en plus cruelle. Cela est un thème constant dans toute l'œuvre de Marguerite Duras, le soleil écrase, paralyse, source non de vie mais de souffrance.

L'attitude de la femme a quelque chose de naïvement buté au début du voyage, « *elle regarde le sol* » (111, 112) à plusieurs reprises, puis se détend, « *se plaît dans le vent* » (114), n'opposant plus aucune résistance, « *docile* » (115), elle « *se laisse faire* », elle sourit et va même jusqu'à rire.

Mais bientôt, la chaleur qui l'accable de tous les côtés va changer son attitude. Elle est fatiguée, s'arrête, repart, lutte en silence contre la douleur qui l'envahit, tandis que sans même qu'elle en soit consciente, « *il* » reparaît, « *dans ses vêtements sombres, léger* » (119). Curieuse précision, ils « *le suivent sans le savoir depuis le départ* », et au moment où elle l'aperçoit enfin, le thème du sommeil, si présent dans la première partie du récit, resurgit :

> [...] elle le voit, lui, l'autre, lui aussi arrêté, et qui attend : elle dit tout aussitôt :
>
> — Il faut que je dorme. (120)

Elle semble devoir céder à sa faiblesse, mais sans aucune transition le texte rebondit : « *Tout aussitôt elle repart.* ». Suit un duo entre elle et le voyageur, où ils suscitent ensemble le souvenir du bal. Du bâtiment fermé qui se dresse devant eux, ils entrent à l'intérieur, « *place entourée de murs* » (121) avec la mémoire « *d'une porte* ». Et puis « *elle tombe sur le sable* » (122), épuisée.

Deux étapes suivent, dans la première elle demande à son compagnon de l'aider à dormir, et puis, lui, il entre seul dans le Casino. Cela se passe réellement dans le récit, ou se passe dans l'esprit confus et las de la femme, il n'importe. Le voyageur cède peut-être le rôle qu'il a joué au cours du voyage à l'homme qui le guide dans le Casino abandonné, et qui à son tour commande : « — *Il faut que vous vous en alliez maintenant* [...]. » (132). En effet, lorsque le voyageur ressort, la « *chaleur diminue* » (135) et la femme « *ressent un mieux-être* » (136). Elle l'accueille par ces paroles étranges :

> — Vous n'êtes rien.

Le voyage est terminé : dans la fraîcheur du vent, elle ressuscite. Le fou à son tour met le feu à S. Thala, laissant ces deux mots, *fou* et *feu* se mêler et se confondre dans la mémoire du lecteur. Il la réduit réellement et symboliquement en cendres, dans la douleur pourtant :

> Elle a un geste ouvert d'une tendresse désespérée, elle dit, elle murmure :
> — S. Thala, mon S. Thala. (139)

Cette prison dont les murs s'effondrent a été aussi son refuge.

Et c'est l'épilogue. Progressivement, en un « *mouvement indiscernable tant il est lent* » (141), retour au « *réseau de lenteur* » (9) du prologue, on voit se recréer le monde. Il sort de la nuit en même temps que la femme, dans une atmosphère d'une majesté religieuse, dernière métaphore qui les confond.

*

Par sa composition, *L'Amour* rappelle une des images-symboles favorites de Marguerite Duras, celle du combat que se livrent au niveau des embouchures la mer et les fleuves. C'est le même combat que la femme a livré au temps, que son angoisse a livré à sa mémoire. La structure complexe de la première partie du texte donne une impression de mouvement heurté, violent, alors que la seconde partie, de ligne plus simple, qui raconte l'apaisement après une lutte intense, aboutit à la sérénité des grands fleuves. La forme de ce texte est la représentation presque visuelle du récit qu'il relate, celle de la libération d'une souffrance due, pendant si longtemps, à l'« omission », au rejet d'un événement passé, non intégré au vécu de la femme, qui l'a retenue prisonnière jusqu'au moment, ici, où il est enfin exorcisé. Même si l'« *espoir est vraiment* [...] *enlevé jusqu'à sa racine* » (p. 125[2]), c'est tout de même la résurrection, la renaissance, la remontée des Enfers, cette « co-naissance au monde et de soi-même » de l'*Art poétique* claudélien.

En même temps, la superposition de deux niveaux de pensée — le symbole des embouchures et le texte de *L'Amour* — permise par leur structure identique, conduit à nuancer l'optimisme que peut suggérer le mot *résurrection*. Une seconde naissance n'est pas nécessairement plus heureuse que la première. La paix de la Nature qui suit la victoire de la mer sur le fleuve est une paix désespérée. De même, Marguerite Duras dit de *L'Amour* que ses personnages demeurent privés de tout avenir, puisque privés de tout espoir.

Les murs des barrages contre l'Océan, les murs de pierre de la cité où se déroule le drame, les murs de cette prison imaginaire où se débat la Femme, tout cela est la répétition parallèle, le reflet sur différents plans, d'une angoisse identique et sans issue réelle.

IV

« D'UN TEXTE L'AUTRE »

« Et voici que j'arrive aux domaines, aux vastes palais de la mémoire. » (p. 248[13])

« Elle commence à marcher dans le palais somptueux de l'oubli de S. Thala. » (*R*, 43)

« LA *femme de* L'Amour, *c'est Lol V. Stein* » dit Marguerite Duras dans une interview (p. 199[2]). Mais le lecteur qui connaît déjà le personnage de Lol — *Le Ravissement de Lol V. Stein* a précédé *L'Amour* de sept ans — peut le retrouver dans *L'Amour* sans même avoir recours aux interviews données par l'auteur, ne s'y référant qu'à titre de caution.

On peut lire *L'Amour* comme une œuvre autonome, de même qu'on peut isoler un sonnet des *Regrets*, des *Fleurs du mal*, de même encore qu'on peut écouter une seule cantate de Bach, admirer une statue ou un vitrail à Chartres ou à Saint-Pierre de Rome. Chacune de ces œuvres est à la fois partielle et complète — achevée et en même temps insérée dans une création plus vaste.

Ainsi, ayant vu dans *L'Amour* à partir de sa structure formelle, le déroulement d'un thème précis et le concert des voix qui contribuent à en faire un poème complet et indépendant, on peut replacer ensuite cette œuvre dans l'ensemble des œuvres de Marguerite Duras.

Le rapprochement avec *Le Ravissement de Lol V. Stein* s'impose immédiatement. « L'Amour [...] *fait partie du* Ravissement de Lol V. Stein » (p. 82[8]) dit Marguerite Duras. Beaucoup de rappels directs de ce premier ouvrage du cycle qui inclut *Le Vice-consul*, *La Femme du Gange* et *India Song*, permettent de s'en rendre compte.

C'est une histoire tragique que celle de Lol, de « la femme ». Comment la connaissons-nous ? Jamais de façon directe, comme dans le roman traditionnel où l'auteur choisit certains faits et les rapporte, indiquant les causes, les effets, et sous leur aiguillon, le comportement de personnages conscients ou non de ce qui leur arrive, de ce qui les motive, de ce vers quoi ils vont.

On a ici une forme de récit très particulière. Dans *Le Ravissement...*, un des personnages, Jacques Hold, raconte des faits qu'il tient de la relation que lui en a faite à diverses occasions un autre personnage, Tatiana Karl. Souvent il met d'ailleurs en doute la perspicacité de cette dernière, mêlant « *ce faux-semblant que raconte Tatiana Karl et ce qu'*[*il*] *invente sur la nuit du Casino de T. Beach* [*n'étant plus*] *convaincu de rien* » (*R*, 14). « *J'invente, je vois* » (*R*, 56) dit Jacques Hold qui par moment ne se saisit plus lui-même qu'à la troisième personne, comme il suppose que le voit Lol. Une première personne imaginaire qui se raconte à travers l'imagination d'un personnage inventé par lui.

Dans *L'Amour*, il n'y a plus de conteur, on retourne à un narrateur impersonnel. Or, ce narrateur ne raconte pas comme le font les narrateurs omniscients habituels : il semble ne pas toujours comprendre ce qu'il raconte, il ne sait pas, il n'explique rien. L'histoire, en fait, semble se raconter elle-même. On ne s'appuie jamais sur la logique solide qu'assure un point de vue bien précis, on ne sait pas qui voit les personnages, qui les décrit, qui rapporte leurs paroles en style direct.

On peut cependant relever un ensemble de précisions très claires qui sont de l'ordre du récit réaliste, contribuant à faire de Lol un personnage de roman. Ainsi, mais seulement vers la fin de *L'Amour*, la femme commence à évoquer son passé en termes directs. Elle dit d'abord qu'elle connaissait S. Thala dans sa jeunesse mais qu'elle n'y est jamais revenue depuis. En effet chacune de ses marches avec le fou l'a menée vers la ville, mais sans qu'ils y pénètrent jamais, leur parcours étant obsessivement, « *l'investissement des sables de S. Thala* » (*Amr*, 107). Elle évoque ensuite le paysage d'autrefois, avec l'imprécision attendrie des souvenirs de jeunesse : « — *Les fleuves étaient grands, les champs, derrière la mer ?* [...] — *on traversait en train pour aller en vacances l'été.* » (108-9). Des échos légers renvoient d'une œuvre à l'autre : « *Des rangées de peupliers* [...]. *Des plaines, des champs, de grêles murailles d'arbres blonds* » (116), dans *L'Amour*, répondent à « *une rangée d'aulnes très vieux* [...], *du soleil dans cette campagne plate, dans ces champs* » (*R*, 61).

Ensuite, à mesure que la femme pénètre plus avant dans la ville en compagnie du voyageur, ses souvenirs se font plus explicites : son compagnon lui rappelle sa première maladie, « *après un bal* » (*Amr*, 112), et elle acquiesce avec une légère réticence. Puis c'est elle-même qui reprend dans un sourire : « [...] *après j'ai été mariée avec un musicien, j'ai eu deux enfants* [...]. » (113). Jean Bedford, le musicien. Trois enfants, dans *Le Ravissement*.... Qu'importe, ils ne jouent que le rôle collectif d'être « les enfants de Lol V. Stein » et leur nombre est indifférent. On apprend encore qu'elle est retombée malade, qu'on lui a repris ses enfants. Elle dit que pendant cette seconde maladie, elle se « *souvenait des enfants — elle ajoute — et de lui* » (114). Lui ? Cela pourrait, d'après le jeu grammatical des pronoms et de leurs antécédents, renvoyer à son mari. Mais plus haut, le voyageur a dit, rappelant la nuit du bal : « [...] *vous étiez, à ce moment-là, supposée aimer* » (113). Et elle a souri : « *Oui* ». Alors, ce « *lui* » qui est « *mort* », on sent que c'est l'homme qu'elle a aimé et qu'elle évoque comme dans l'enchantement d'un état second :

> Dans la même coulée informative, elle dit :
> — Mort, il est mort. (114)

Ainsi, parlant avec Tatiana Karl de Michael Richardson, elle dit : « — *Il est mort peut-être ? — Peut-être. Tu l'aimais comme la vie même.* » (*R*, 101).

Ces quelques détails à eux seuls suffiraient pour que l'on retrouve Lol dans la femme de *L'Amour*. Mais de même que le prénom a disparu, qu'un individu bien distinct, Lola Valérie Stein, n'est plus appelée que *la femme*, de même, le reste des souvenirs se fait plus flou, comme plus intérieur, plus loin de la « réalité » romanesque.

À mi-chemin entre le précis et le vague, il y a S. Thala. Aucun autre nom à part celui-ci n'est cité dans la seconde œuvre. T. Beach où se trouvait le casino est remplacé par une plage, et le casino lui-même, « *au centre de T. Beach, d'une blancheur de lait, immense oiseau posé, ses deux ailes régulières bordées de balustrades, sa terrasse surplombante, ses coupoles vertes, ses stores verts baissés sur l'été, ses rodomontades, ses fleurs, ses anges, ses guirlandes, ses ors, sa blancheur toujours de lait, de neige, de sucre, le Casino municipal* » (*R*, 176) de T. Beach, se réduit en une formule lapidaire « *aux piliers d'un casino bombardé* » (*Amr*, 33), « *cœur de S. Thala* » (121) dont la façade domine l'étendue des sables, la mer.

S. Thala est plus que le nom de la ville, c'est le lieu de l'amour de la femme qui prononce ce nom avec une grande tendresse : « *S. Thala, mon S. Thala* » (111). Plus encore, c'est l'histoire même de cet amour, englobant dans ses syllabes l'endroit, le moment, l'événement, la souffrance, la mort, l'obsession — « *la totalité* » (14). « *S. Thala c'est mon nom* » (66) dit le voyageur, et « *elle lui explique, montre : tout, ici, tout c'est S. Thala* ». Exactement comme dans *Césarée* où Marguerite Duras écrit :

Il n'en reste que la mémoire de l'histoire et ce seul mot pour la nommer
Césarée
La totalité.
Rien que l'endroit
Et le mot. (*NN*, 83)

Là, dans ce casino, sont « *les plantes vertes du bar* » (*R*, 20), derrière lesquelles Lol se trouvait à l'entrée d'Anne-Marie Stretter. Dans *L'Amour* on voit le hall de l'hôtel, confondu par l'auteur avec la salle de bal, où « *des plantes noires remuent dans le vent qui entre par la porte,* [*avec des*] *mouvements de houle pernicieuse, d'esprits morts* » (68). Ce qui était couleur et vie avant le bal s'est transformé en mort dans la mémoire souffrante de Lol.

Ce processus de transformation, du plein au vide en quelque sorte, est caractéristique du passage du *Ravissement...* à *L'Amour*. Les exemples abondent, j'en choisirai un ou deux seulement en dehors de ceux déjà cités. Avec la même intensité poétique, *Le Ravissement...* garde tout de même un souci de clarté, relative bien entendu, mais qui disparaît dans *L'Amour*.

Du champ de seigle où elle se dissimule, Lol voit qu'« *une fenêtre s'éclaire au deuxième étage de l'Hôtel des Bois* » (*R*, 62). Un peu plus tard, « *L'ombre de l'homme passe à travers le rectangle de lumière* » (*R*, 63), et ce rectangle ne pose évidemment aucun problème de compréhension au lecteur, renvoyé à la fenêtre éclairée qui vient d'être décrite. Dans *L'Amour*, il est question d'un « *rectangle de soleil découpé par l'ouverture du balcon. Personne ne franchit ce rectangle de lumière* » (96). Certes, dans ce cas aussi, il y a eu d'abord une référence précise mais cette forme lumineuse n'a plus le caractère de nécessité logique qu'elle avait dans *Le Ravissement*... où elle permettait à Lol de distinguer la fenêtre d'une chambre d'hôtel parmi plusieurs autres. Ici, la valeur de cette notation est d'ordre purement esthétique — forme géométrique, degré d'intensité dans le registre allant de l'illumination à l'obscur de ce texte tout en noir et blanc, tout entier fait d'une gradation de la charge de clarté des différents éléments du décor. Sorte de leitmotiv visuel que l'on retrouve (102-3) dans le « *grand quadrilatère de lumière* » qui est bâti « *sur la mer* » (103), dans les « *éclatements blancs* » (26) des mouettes.

Sur la plage de S. Thala, un chien mort mentionné à plusieurs reprises, occupe la femme et le voyageur :

> — J'ai vu le chien mort.
> — Je pensais que vous l'aviez vu aussi (105)

Métaphore multiple, à la fois passé putride dans l'obsession duquel elle s'enferme : « *Elle* [...] *se détourne de tout, rentre dans le chien mort.* » (104), et dernier avatar d'une âme scellée dans le refus de la vie : « *Elle est seule allongée sur le sable au soleil, pourrissante, chien mort de l'idée* [...]. » (125). Il a surgi pour la première fois, fantôme rendu doublement incertain par les adverbes, sur la plage de T. Beach où « *Lol* [...] *ne le voit pas,* [...] *rassemblement autour de quelque chose, peut-être un chien mort* » (*R*, 184).

Dans l'Hôtel des Bois, lorsqu'elle y épie Jacques Hold et Tatiana Karl, Lol retrouve le souvenir de cette « *jeune fille de S. Thala qui, à cet endroit, a commencé à se parer — cela devait durer des mois — pour le bal de T. Beach* » (*R*, 61). Ce souvenir, évoqué dix ans après l'événement et déjà flou dans la mémoire de Lol, prend une forme saisissante dans *L'Amour*. Au début de sa marche sur les « *routes de S. Thala* » (112), on la voit : « *Elle est en blanc, coiffée. Il l'a préparée, dans l'île ce matin, il l'a lavée, coiffée.* ». On pense à une inquiétante cérémonie rituelle où la mariée se confond avec la vierge innocente, confiante, qui sera cruellement sacrifiée à quelque divinité avide de sang, et deviendra l'épouse. Elle, elle est pure, passive, offerte. Un fait précis dans l'histoire d'une jeune femme a été transformé en une pratique inquiétante remontant à la nuit des temps, inventée pour satisfaire la cruauté et apaiser l'angoisse d'une humanité primitive.

Ces rappels d'une œuvre à l'autre sont multiples et varient dans le degré de précision de la reprise de chacun. Mais toujours, on assiste à une alchimie qui va du flou au plus flou, qui désinsère du contexte, qui voile et en même temps met en relief, isole et entoure d'hermétisme, transforme en symbole ce que l'on aurait pu encore rattacher à une réalité trop matérielle. La logique et la psychologie cèdent la place au souci d'esthétique pure et de magie.

Dans ses entretiens avec Xavière Gauthier, Marguerite Duras parle d'un livre qu'elle aurait « occulté », et qui aurait dû constituer « *le passage du plein au vide* » (p. 121[2]). Ne pourrait-on pas voir ce livre dans *L'Amour*? Il est en effet unique dans sa fonction non définie. C'est une reprise du *Ravissement de Lol V. Stein* en ce qui concerne le lieu, le sujet lui-même, et pourtant des événements se sont produits entre ces deux textes, et le point où l'on se trouve placé, dans la vie de la femme, n'est pas celui de la fin du livre précédent. Tout est donc modifié, *L'Amour* n'est pas une simple métamorphose du *Ravissement...*, mais un texte nouveau.

Ce n'est pas non plus un scénario comme *India Song* ou *Le Camion* qui ont cependant une valeur intrinsèque, même en dehors des films qu'ils accompagnent de leur texte. *L'Amour* n'est pas le scénario de *La Femme du Gange.* C'est sans aucun doute un récit indépendant qui fait charnière entre le roman de Lol et le film qui suit — un texte dont la valeur est autre, où Marguerite Duras passe d'un type d'écriture — prose poétique — à un autre —, poésie pure. D'où ce texte flou, mouvant, insaisissable.

À travers l'épaisseur du temps, les retours en arrière, les périodes ignorées, il semble en fin de compte que *L'Amour* soit la création d'une conscience inquiète, désinsérée de tout contexte matériel, et qui fait se mouvoir et s'exprimer ses fantasmes, à la fois les inventant et se laissant inventer par eux.

Les personnages, le lieu, les phrases sans lien, les juxtapositions d'épisodes flottants dans les brumes de la répétition, les glissements de l'obsession à la tentative maladroite de progression, tout cela se déroule à l'intérieur d'une conscience. Dans ce lieu d'où il est difficile de sortir — que ce soit la plage, « *l'endroit enfermé* » (36), « *l'espace clos* » (40), le sommeil —, pénètre un dialogue plus ou moins cohérent, dialogue réel ou monologue morcelé, peu importe encore une fois. *L'Amour* est un texte dont les hiéroglyphes représentent la mémoire douloureuse de la femme, théâtre où elle anime ses étranges acteurs.

Dans le courant du texte, une série de termes de sens particulier forment un véritable réseau. Les yeux sont ouverts ou fermés, de même que les portes, les lieux. La femme dort ou s'éveille. Parallèlement au verbe *regarder*, intervient toute une série de négations : *non*, *rien*, *plus rien*, etc. marquant l'absence en face de la présence que perçoit le regard. Des miroirs ternis renvoient à la « *glace* » (113) que contient le sac de la femme et où elle « *se regarde* ». Face au voyage désiré, puis entrepris, S. Thala où les personnages sont « *enfermés* » (115). Certains verbes indiquant la répétition sont eux-mêmes souvent répétés : *revenir*, *revoir*, *reconnaître*. *Avant* s'oppose à *maintenant*. Et de loin en loin surgissent les mots clés qui se réfèrent à la mémoire : « *je me souviens* » (19, 120), « *vous vous souvenez* » (40, 53), « *elle a oublié* » (54), « *je vous avais oubliés* » (64), « *vous vous êtes rappelé* », « *J'ai oublié* » (108), « *Vous avez des souvenirs* » (128).

Peu importe que la personne qui a oublié ou qui se souvient soit la même ou varie, il reste que, comme un fil ténu, la mémoire d'un passé relie les consciences et guide le déroulement du récit tout entier : « *C'est ça, Lol V. Stein, c'est quelqu'un qui chaque jour se souvient de tout pour la première fois, et ce tout se répète chaque jour, elle s'en souvient chaque jour pour la première fois comme s'il y avait entre les jours de Lol V. Stein des gouffres insondables d'oubli.* » (p. 99[8]).

L'interprétation qui se dessine alors établit le texte en un édifice concentrique. Il y a d'abord un cercle extérieur qui serait la base de *L'Amour* — un dialogue, jamais signalé cependant, à peine existant : « *Il ne questionne pas.* » (62) — de la femme avec un interlocuteur qui ne figure pas dans le récit. Ce serait pourtant sa présence qui inciterait la femme à cette démarche somnambulesque à la recherche de sa délivrance : « — *Je suis venue vous voir pour ce voyage.* » (61). Sa présence pourrait affleurer parfois dans le récit, et son rôle serait joué un moment par le voyageur, par exemple lorsqu'il aide la femme à s'endormir, ou bien par l'homme du Casino quand il refuse de prolonger la conversation avec le voyageur : « *Vous devriez sortir, aller la retrouver* » (132), ou encore par le fou lui-même : « — *Il dit que ce voyage est nécessaire — elle ajoute — il ne dit pas pourquoi.* » (108). On en retrouverait ainsi des traces dans ces passages en style direct qui semblent parfois être échangés entre d'autres protagonistes que ceux qui sont mis en scène. Ce voyage dont elle a peur, qu'elle est ensuite amenée à désirer, puis qu'elle accomplit avec l'aide du voyageur — est-ce un voyage intérieur qu'elle accomplit plutôt avec l'aide de cet interlocuteur jamais nommé, qui suscite seulement par sa présence ou sa participation ponctuelle les personnages du récit, leurs actes symboliques, et le parcours libérateur de cette femme qui « *n'a jamais guéri* » (78)...

Le second cercle, à l'intérieur du premier, se situerait dans la conscience de la femme qui confond sa situation présente et son interlocuteur « réel » avec des événements qu'elle transcrit et actualise sous la forme du récit lui-même. S'ajoute à cela le fait que tout événement ancien, rappelé par la mémoire, ne resurgit que sous une forme figurée, le rituel du parcours, l'obsession de l'accouchement, la métaphore des sables et de la mer. *L'Amour* comme la cérémonie dont il a le caractère, « *se déploie dans un espace mental purement imaginaire puisque de toute façon il est fait du tissu d'une "mémoire" qui réinvente rétrospectivement* » (p. 52[14]).

Sortilège du texte, les interprétations se fondent sans se contredire, refusant toutefois d'être imposées, plaquées sur la fluidité du poème qui les crée en même temps qu'il les refuse. Car un autre rapprochement s'impose aussi, celui de *L'Amour* avec *Abahn, Sabana, David* écrit un an plus tôt (1970), et *Jaune le Soleil* tourné en 1971, et cela à partir du problème essentiel de la « *tragédie universelle* » (p. 57[10]). Comment ne pas voir cet ensemble que forment les incendies, les voitures de police, le hurlement des sirènes, les ruines, la désolation; comment ne pas sentir la violence, la peur, et ne pas entendre la voix *off* de l'auteur même qui dit : « [...] *le cri arrivait* [...] *de partout* [...] *ils étaient nombreux : des millions* [...] *tout est dévasté.* » (30); millions de morts, victimes de ce « "*non-homme" de l'homme* » (p. 75[10]). C'est elle, semble-t-il, qui transforme « *le bruit* », les « *cris* » des « *mouettes de la mer* » en « *cris de faim* », et brouille soudain le temps : « *Elles sont là, elles étaient là* » (13), remplaçant la succession passé-présent par la découverte à rebours, — présent puis passé —, d'une cause d'angoisse jusque-là insoupçonnée, cette faim, ces cris, ces oiseaux fous, surgis de quelle peur oubliée, de quel abîme de la mémoire ? On est tenté de voir une irruption dans le texte de l'auteur elle-même lorsque les cris se transforment en cris de faim — l'irruption d'une conscience obsédée tout au long de son œuvre par l'horreur de la souffrance dans le monde. L'auteur prend ici la place du personnage, leur angoisse se confond, et pourquoi pas, puisque l'angoisse du personnage n'est en réalité que celle de son inventeur, coulée dans le moule de la fiction. Poignante évocation aussi de la souffrance spécifiquement féminine : « *Ses enfants sont là-dedans, ce truc, elle les fait, elle leur donne* [...] *la ville en est pleine, la terre.* » (52). Villes grouillantes de militaires ? terre saturée de cadavres ?... Cette barbarie, Marguerite Duras en reparle dans *Hiroshima mon amour* (1960), dans *Le Camion* (1977), dans la trilogie d'*Aurélia Steiner* (1979), dans *La Douleur* (1985). C'est un aspect de son œuvre qui fait d'elle, dans le plus beau sens du terme, un écrivain engagé. Mais cela demande une étude séparée.

L'Amour est une véritable plaque tournante au cœur de l'œuvre de Marguerite Duras, tissé de trois éléments qui lui sont essentiels — l'enfance, l'amour, la douleur ; mais transformés en poésie pure par le miracle de son écriture. « *Quel tourbillon ininterrompu de métamorphose de ce qui réellement eut lieu, réellement fut vécu et réellement pensé ne faut-il pas que soit le simple cours de l'existence en proie au jeu sans contrôle de mémoire et d'oubli.* » (p. 19[10]).

V

LE TEMPS

> « *Elle est l'heure intérieure ; le trésor jaillissant et la source emmagasinée ; la jointure à ce qui n'est point temps du temps exprimé par le langage.* » (p. 13[15])

> « *Mrs. Ramsay saying "Life stand still here"; Mrs. Ramsay making of the moment something permanent* [...]. *In the midst of chaos there was shape ; this eternal passing and flowing* [...] *was struck into stability.* » (p. 151[17])

UN caractère très particulier et très sensible de l'œuvre de Marguerite Duras, c'est le temps immobilisé, un temps qui semble à la fois s'écouler, cause d'arrachement, de privation — et rester stagnant comme les marécages de *Savannah Bay*. Ce que Marguerite Duras appelle « *le temps pur* » (113), c'est peut-être cela, le temps psychique hors de toute contingence. Des moments privilégiés arrêtent son flux et durent plus longtemps que des années entières. Le temps est vécu intérieurement et mesuré exclusivement par le degré d'intensité de ce vécu : « *C'est en toi, mon esprit, que je mesure le temps* » (p. 322[13]) pourraient dire les héros de Marguerite Duras avec saint Augustin. L'unité de mesure, c'est la répercussion dans l'âme des événements extérieurs. Et cela, on le voit tant dans la façon dont sont conçus le temps et l'espace, que dans les personnages eux-mêmes.

Ainsi, d'un livre à l'autre, Marguerite Duras, contrairement à l'écrivain dont le but est de « faire concurrence à l'état civil », ne tient pas de registre. Elle crée ses personnages, les laisse se créer eux-mêmes, toujours docile, acceptant par exemple le protagoniste supplémentaire que lui apporte le hasard dans *La Femme du Gange*, oubliant, lorsqu'elle reprend les mêmes personnages, ce qui s'est passé dans le volume précédent. Non contraints par la portion de vie qu'ils ont déjà vécue, ces êtres fictifs deviennent réels et s'imposent à elle dans leur forme du moment, se confondant, se dédoublant, se dégageant de certains événements passés pour mieux s'ancrer dans d'autres, se transformant au hasard du temps. Elle « laisse l'initiative » à son instinct et aux mots qui le traduisent.

Le lecteur doit-il se montrer plus exigeant que l'auteur, plus précis qu'elle? Et de quelle précision, puisque l'essentiel reste toujours mystérieux — dévoilé, il est toujours mutilé; transparent, il garde toujours une face opaque. Marguerite Duras ne représente pas ce qu'il est convenu d'appeler la réalité extérieure, mais elle re-présente constamment son réel intérieur, perméable à la vie qui l'entoure, dans un « *état d'écoute extrêmement intense* » (p. 98[8]). Ce vécu qui l'envahit, elle dit qu'« *il faut le laisser faire* » (p. 99[8]), toujours mouvant et si vrai qu'on le retrouve toujours identique à lui-même, Protée qui ne change que de masque.

La tragédie du bal de T. Beach, devenu dans *L'Amour* le bal de S. Thala, était déjà en Lol avant d'avoir eu lieu, comme un potentiel deviné par Tatiana, une « fêlure » que Lol portait en elle depuis toujours. C'est cette fêlure qui explique la violence du désarroi de Lol au cours de la fameuse nuit; elle seule peut rendre compte de son étrange paralysie, de cette espèce de jubilation et d'entêtement dans le désespoir. De même, dans cette seule nuit de la réception à l'Ambassade de France à Calcutta, lorsqu'au matin le vice-consul a quitté Mme Stretter, Charles Rossett « *marche dans Calcutta. Il pense aux larmes* [...]. *Il lui semble se souvenir que dans l'exil du regard de l'ambassadrice, depuis le commencement de la nuit, il y avait des larmes qui attendaient le matin* » (*VC*, 164). On retrouve encore ce même lien qui rattache un événement à un autre, effaçant par leur importance et la nécessité qui les relie, les années qui les séparent : « *Il a fallu dix-sept ans, pour que ce soir se produise.* » (*VC*, 166).

Lorsqu'on définit la tragédie classique comme la mise en scène d'une crise et de son dénouement, on précise par là même un de ses caractères essentiels : l'absence de durée. Par définition, la crise ne dure pas. Dans *Le Ravissement de Lol V. Stein*, Tatiana interrogée par Jacques Hold, dit, qu'« *elle croyait que cette crise et Lol ne faisaient qu'un depuis toujours* » (*R*, 13). On a là une contradiction dans les termes, et un exemple très clair de cette confusion des temps que fait volontairement Marguerite Duras. Ainsi, dans *Les Lieux de Marguerite Duras*, parlant de *La Femme du Gange* qui fait suite à *L'Amour*, elle dit : le film « *a commencé aussi avant le film. Ils sont là depuis très longtemps lorsque le film arrive, et ils sont là encore... enfin, ils sont encore là pour moi alors que le film est fini.* » (p. 87[8]).

Tant le film que le récit semblent n'être que l'éclairage momentané d'un état, et non l'écoulement irréversible d'une portion de temps.

Ainsi, l'impact du bal sur Lol est tel qu'il arrête le temps, il étale sur une durée indéfinie ce qui devait être ponctuel. Au matin du bal, muette et comme insensible durant la nuit, « *Lol cria pour la première fois* » (*R*, 22). C'est un moment de souffrance intense, avec le verbe au passé simple, auquel succède un paragraphe au plus-que-parfait : « *Lol avait crié* ». On a là l'indication d'une durée et de sa clôture irrévocable, un état de crise, latent et donc présent depuis toujours qui débouche sur cet ennui « *long, long* » (*R*, 24), cet enfermement définitif. Le cri sert ici de ponctuation, de charnière. C'est le moment où « *l'histoire a* [...] *commencé,* [...] *avec la lumière, l'éclatement de la lumière* » (51).

Lol a vécu ensuite dix ans de mariage et deux (ou trois) maternités avec une apparente perfection — en réalité avec la plus totale indifférence. Absente de sa propre vie, enfouie dans des « *tombeaux où* [*elle*] *fait la morte* » (*R*, 37) ne vivant que dans l'arrêt de cet instant fatal, le vivant du fond de sa mort, le revivant sans cesse et sans fin ; se prêtant à tout ce que l'on demande d'elle, femme parfaite, épouse, mère — véritable marionnette dont l'âme est ailleurs. Cette seule nuit prend la valeur d'un point d'orgue dont les vibrations recouvrent dix ans de mutisme. « *Lol V. Stein est folle au bout d'une vie non vécue.* » (p. 159[2]).

Alors, dans *L'Amour*, « la morte de S. Thala », est-ce Lol ? Ou serait-ce quelqu'un d'autre, Anne-Marie Stretter ? Tatiana Karl ?

Lol, oui, elle est morte la nuit du bal, nous le savons, cela est dit. Et pourtant, cette nuit-là, Mme Stretter est morte elle aussi, d'une autre façon. Femme mûre au passé déjà lourd — amant, mari, enfants —, elle a vécu un moment semblable à celui qu'a vécu Lol, comme son équivalent en plein, aussi vain que le creux qui a « tué » Lol. Pour toutes les deux, c'est l'amour, dans ce qu'il a de plus absolu, qui se présente comme une perte pour Lol, comme une victoire pour Anne-Marie Stretter. Dans les deux cas, c'est Michael Richardson qui a incarné cet absolu. Mais qu'il se donne ou qu'il se refuse, il s'est trouvé incapable d'être autre chose qu'une décevante façade. Ce que demandaient tant Lol qu'Anne-Marie Stretter, il ne pouvait pas le donner. Pour toutes les deux, l'amour débouche sur la mort. Lol, comme le vice-consul, se transforme en poupée mécanique, et devient la femme de *L'Amour* sous la violence de ce sentiment qui ne peut pas aboutir par définition, la vie étant ce qu'elle est. Quant à Anne-Marie Stretter, la triomphante, la cruelle, la comblée, qu'a-t-elle retiré de sa rencontre avec Michael Richardson ? Rien, sinon une nouvelle preuve, toujours plus terrible, de l'impossibilité de l'amour. Parlant de son suicide, Marguerite Duras dit : « *Il s'agit là d'un désespoir universel,* [...]. » (p. 73[8]). « *Elle ne peut pas faire autrement.* » (p. 78[8]). Serait-ce elle, alors, qui dans la maison où entre le voyageur, déclare : « — *Je suis la morte de S. Thala* [...] — *La seule de vous tous — elle ajoute — la seule, la morte de S. Thala.* » (83-4). La seule qui « s'en soit tirée » ? Ou plutôt la seule qui soit vraiment morte ? Car Lol, elle, existe encore : « — *Je savais bien qu'elle n'était pas morte, on m'aurait prévenue...* » (78-9). Vivante, Lol est devenue la prisonnière de S. Thala. Elle dort sur la plage, marche, puis se rendort dans ses limbes de sable.

Tandis qu'Anne-Marie Stretter n'est plus que « la pute de Calcutta » qui attend le moment où sa mort latente se réalisera enfin, portant en elle toute la misère du monde :

> On la trouve à Pékin.
> Et puis à Mandalay. [...]

Dix-sept ans.
On la trouve à Calcutta.
Calcutta :
Elle meurt. (*IS*, 43-4)

Cependant le décor, plus détaillé, plus « réel » que partout ailleurs dans *L'Amour*, rappelle la villa dans laquelle vit Tatiana Karl. Le lecteur reconnaît la terrasse, le parasol bleu — écho de la « *robe bleue* » (*R*, 72) —, la table basse qui supporte « *un livre ouvert* » (*Amr*, 78) — écho des « *revues coloriées* » (*R*, 69). Et en fait, dix ans après le bal, le couple obsédant que forment Anne-Marie Stretter et Michael Richardson est devenu pour Lol le couple mi-réel mi-idéalisé dans la fièvre : Tatiana Karl et Jacques Hold. Dans le pauvre cœur de Lol tout se confond : les cheveux noirs de Tatiana et les cheveux roux d'Anne-Marie Stretter — traits aussi essentiels pourtant que la « blondeur » de Valérie Andesmas et de Lol elle-même. Pour l'âme malade de Lol, la transformation des cheveux roux en cheveux noirs — « *teints en noir* » (*Amr*, 83) —, s'accompagne de la métamorphose en « morte » de la femme très vivante qui a vécu à sa place dans l'incapacité de celle-ci de vivre elle-même. On lui a pris sa vie, on lui a pris sa mort. L'amant qui a trahi, l'amie qui a trahi, Lol a tout perdu, tout retrouvé sous une forme différente, hors d'atteinte. Son imagination opère ces substitutions sans reculer devant l'absence de toute logique extérieure; pour elle, « *il s'agit d'une même personne indéfiniment multipliée* » (*EL*, 11).

La crise, la souffrance très profonde immobilisent le personnage à un moment de sa vie, puis s'emparent de lui et à partir de là s'instaure une confusion — une fusion et une indétermination des individus et des événements, qui fait penser aux images toujours mouvantes du kaléidoscope. Le personnage ainsi frappé vit et revit l'instant de sa blessure et le réincarne en quelque sorte au hasard des rencontres, des sensations. On touche là à un des aspects essentiels de *L'Amour* : les personnages sont les prisonniers d'un temps qui passe sans apporter la possibilité de « *rejoindre le groupe, l'humanité* » (p. 159[2]) dont parle Marguerite Duras dans *Les Parleuses*. Un temps qui par conséquent semble immobile, stagnant. Ils y sont enlisés, une fois pour toutes, depuis le bal de T. Beach... Ce triangle qui sans cesse se forme, se déforme, se reforme, ce « *prisonnier fou* » (11) qui marche de façon mécanique, sans raison et donc sans raison non plus d'arrêter jamais, cette femme qui dort, ce couple dont le « *labeur* » est « *l'investissement des sables de S. Thala, objet de leur parcours* » (107), eux qui, « *chaque jour doivent* [...] *couvrir la distance, l'espace des sables de S. Thala* » (32), cette souffrance que matérialise « *le soleil sempiternel* » (90), « *le soleil infernal* » (133) — tout cela, les mouettes « *carnassières* » (137), les yeux qui « *saignent* » (119) —, que d'acharnement dans une douleur que les années n'ont pas apaisée, à aucun moment...

Il y a dans *L'Amour* un passage qui illustre bien ce processus mental. Le voyageur rencontre dans son hôtel la femme à qui il avait écrit une lettre. Leur dialogue se caractérise par le fait que pratiquement toutes les répliques en sont incomplètes. Propositions principales et verbes, leur complément d'objet attendu manque toujours :

> — Je me demande même si... si même au début... vous m'avez jamais — elle s'arrête — (89)
>
> — Je voulais dire... (92)
>
> — Vous voulez dire que... (93)

Les questions restent sans réponses, ou alors ces réponses sont négatives ou imprécises :

> — Qu'est-ce que vous me reprochez ?
> — Mais rien... je... (92)

et encore : « *Sans doute pas* (89) - *non* (91, 93) - *Ça dure depuis quand?* - *Depuis toujours* (91) ». Comment comprendre cet « *événement qui s'ignore,* [...] *d'ordre général* » (93)? Qu'est-ce qui dure? Quels enfants le voyageur veut-il revoir avec tant d'insistance, pour les rejeter immédiatement après? Nous ne savons rien de la vie passée du voyageur, sauf un détail précis et très important qui oblige à l'identifier à Michael Richardson. Au moment où il sort d'un Casino qui rappelle le château de la Belle au bois dormant, il dit : « — [...] *On voit aussi la porte par laquelle nous sommes sortis — il ajoute — séparés.* » (134). En dehors de cela, ses rapports avec femme et enfants n'intéressent que dans la mesure où il lui faut s'en libérer pour rejoindre Lol dans son dénuement, et c'est la seule fonction, semble-t-il, de ce passage.

À cette interprétation s'en ajoute une autre. À un moment de son voyage à l'intérieur de S. Thala, la femme dit : « — [...] *j'ai eu deux enfants — elle s'arrête — ils les ont pris aussi.* [...] — *Vous savez, c'est après que je sois tombée malade une deuxième fois.* [...] — *Je me souvenais des enfants — elle ajoute — et de lui.* » (113-4). Elle n'en dit pas plus long, mais dans ce court texte vague, les enfants — les siens, ceux du voyageur? — se « superposent », jouant un rôle d'arrière-plan, nostalgie, culpabilité, perte? Le lecteur n'éprouve pas le besoin de connaître leur identité précise. Ils s'ajoutent simplement à ce réseau touffu de connotations — à « *cette masse du vécu, non inventoriée, non rationalisée,* [*qui*] *est dans une sorte de désordre originel* » (p. 99[8]). Quant à la femme de la lettre, mère des enfants, elle n'existe que comme l'être trompé — bafouée par la vie, déçue, reniée, malgré tout ce qu'elle semble avoir vécu et partagé avec le voyageur. En fait, ils ont seulement coexisté.

Au bout de cet épisode, le pronom *elle* qui suit le blanc, continue à représenter cette femme non identifiée tout autant qu'il représente la femme de la plage. *Elle* peut être Lol qui n'a jamais été aimée, mais la situation peut aussi bien être renversée et représenter le reflet de la vie de Lol et Jean Bedford, *elle* étant celle qui n'a jamais pu aimer, *lui* étant le partenaire qui découvre cela : « *Et moi, pauvre de moi, qui ne me doutais de rien...* » (94). On peut aussi penser que Lol, découvrant son cœur mort en elle, alors qu'elle « *ne* [*se*] *doutai*[*t*] *de rien* », s'effondre en « *sanglots* » devant le spectacle de son passé vide, réclame ses enfants et les repousse aussitôt, car ils ne sont rien pour elle, comme ce fiancé qu'elle n'a pas su garder, ce mari, cette amie qu'elle n'a pas su aimer... Mais elle attribue ce rejet coupable au voyageur, n'osant pas en assumer la responsabilité.

En ce qui concerne Anne-Marie Stretter et Michael Richardson, oui, ça a été l'amour, cette nuit-là. Mais vécu, transformé en durée, il s'est évanoui. Plus tard, parmi ses innombrables amants, « *objet du désir absolu* » (50), elle qui « *est à qui veut d'elle* » (*IS*, 46), lorsqu'elle rencontrera le vice-consul, au cours du bal de Calcutta, ce sera l'amour vécu jusqu'au bout, c'est-à-dire non vécu au sens normal du terme, repoussant la durée, mais qui débouchera immédiatement sur la mort, sa seule issue. « *Ce qui meurt d'Anne-Marie Stretter* » à ce moment-là, dit Marguerite Duras à Michelle Porte, « *c'est l'accidentel d'elle-même, voyez, et je crois que morte elle restera toujours là, très présente.* » (p. 78[8]).

Le temps est donc un temps intérieur, impersonnel, absolu dans sa relativité. Nous voyons Lol qui « *progresse chaque jour dans la reconstitution de* [*l'instant précis de la fin du bal, qui*] *arrive même à capter un peu de sa foudroyante rapidité, à l'étaler, à en grillager les secondes dans une immobilité d'une extrême fragilité* [...]. *Il ne reste de cette minute que son temps pur, d'une blancheur d'os* » (*R*, 46-7). Ce temps pur qui superpose le passé au présent, c'est donc lui aussi qui conduit à la superposition de personnages multiples.

Il est tout à fait évident alors qu'il faut se garder d'organiser, de rationaliser, de réfléchir. Marguerite Duras explique que dans *La Femme du Gange* — et cela est valable aussi pour *L'Amour* — on se trouve « *dans un monde totalement corporel* » (p. 98[8]). Elle dit que Lol est « *incapable de réfléchir,* [*qu'*]*elle s'est arrêtée de vivre avant la réflexion* ». Que c'est « *peut-être ça qui fait qu'elle* [*lui*] *est tellement chère, enfin, tellement proche* ». Elle se méfie de la réflexion, « *temps* [...] *douteux qui* [*l'*]*ennuie* ».

On voit ainsi dans certains passages de *L'Amour* la mémoire obéir au corps, à l'appel du physique.

Lorsque le marcheur entre dans l'hôtel, en pleine nuit, il n'aperçoit pas tout d'abord le voyageur qui s'y trouve déjà, et commence par prendre en quelque sorte possession du lieu. On se souvient que pour Marguerite Duras, ce hall se confond avec le Casino et qu'elle situe le bal ici et là sans être arrêtée par ce défi à la logique. Le comportement du marcheur est rendu à l'aide de procédés comme la répétition, l'ellipse du sujet, etc.

> Tout à coup, il s'immobilise au milieu de la piste, montre l'espace, décrit l'espace entre les fauteuils alignés et les piliers, demande :
>
> — C'était ici ? — il s'arrête — là ?
>
> Sa voix est incertaine.
>
> Il attend.
>
> Debout au milieu de la piste de danse, il attend encore. (69-70)

Ce passage commence par un brusque éclair de mémoire, non déchiffré, déclenchant un comportement : l'homme s'immobilise, montre, décrit. Il s'empare de l'espace, dont les lignes austères (*alignés*, *piliers*) le conduisent vers un imparfait révélateur ; rien n'est précisé, *cela* ne se réfère à rien pour le lecteur, et les adverbes sont contradictoires : *ici, là.* Seule acquisition certaine, cet imparfait qui ressuscite le passé. Le hall lui aussi est soudain nommé « *la piste de danse* » (70), indiquant le remplacement de l'hôtel actuel par le Casino du souvenir. Après, le mouvement devient automatique, obsédant, hypnotique :

> Puis de nouveau, montre l'espace, décrit l'espace entre les fauteuils alignés, répète le geste, attend, ne dit rien.
> Marche, parcourt l'espace, le parcourt encore, s'arrête.
> Repart. S'arrête encore. Se fige. (70)

Une série de mouvements est répétée avec obstination, le corps attentif, patient, essaye de redevenir le corps qui a vécu un moment révolu. La répétition par exemple d'une notation indiquant le décor — « *les fauteuils alignés* » (70) — témoigne de la concentration du regard qui, à force de solliciter un détail concret, le rend soudain mobile et le transfère du présent au passé, de l'hôtel au Casino. Les verbes ne s'accompagnent d'aucun sujet car le marcheur n'est plus un individu simple, il est à la fois lui-même dans l'immédiat et lui dans la scène du bal — et alors, qui donc? Vu par lui, par la femme? En fait, indéfinissable. D'où l'ellipse soudaine du pronom, l'effacement suggéré de son individualité distincte.

Et puis, brusquement, la transformation a lieu : « *Se fige.* » (70) : ici, maintenant. « *On chante, très bas. On chante.* ». Hallucination, voix qui émerge du passé. « *Il chante.* » : ici, maintenant, redevenu en même temps l'homme du bal, à travers ce prodige d'une sorte de mirage d'ordre auditif. Le corps soumis à la musique, il obéit, « *il chante et il danse en même temps, il avance sur la piste, dansant, chantant* », dans une transe de derviche tourneur. Ce n'est pas la volonté qui anime le corps, mais le corps qui fissure ce mur de léthargie et informe la pensée. « *Le corps s'emporte, se souvient* », et alors le passé surgit. Spectateur de lui-même, « *il écoute sa propre voix* [...], *il subit ses propres paroles* » (71), découvre le voyageur, « *le voit* » (72). Sous la violence du passé qui s'empare du présent,

> L'immobilité éclate, la bouche s'ouvre, aucun son ne sort, il fait encore l'effort de parler, n'y arrive pas, tombe dans un fauteuil, tend la main vers le voyageur, le regarde comme au premier jour, murmure :
> — Vous, c'était vous — il s'arrête — vous êtes revenu.
> Il pleure. (72)

Il n'est pas utile de chercher à expliquer cette fin de scène. L'auteur l'a rendue ambiguë, elle la voulait telle. Le personnage ne se l'explique pas lui-même. Il pleure, et c'est assez. Le lecteur pleure avec. Il y a là une impressionnante résurrection du temps déjà écoulé, due au travail du corps. Et une vertigineuse confusion, superposition de personnages, une équivalence de plans différents qui fascine. Et une résolution de cet accomplissement surhumain dans les larmes, le refus de toute élaboration plus poussée, le rejet de tout profit qui dériverait de cet acte.

l'espace

Dans un univers qui refuse de cloisonner le temps suivant une succession irréversible, dans un univers où le passé est plus présent que le présent, où l'avenir dépend d'un retour au passé, l'espace à son tour prend un caractère particulier*. Ce qui était est encore; là-bas et ici se confondent. « *Les temps sont différents* » dit l'auteur, l'inspiration « *vous arrive de plus ou moins loin* » (p. 99[8]). Dans un tel univers, la géographie est donc elle aussi particulière à l'auteur, intérieure en quelque sorte. C'est une géographie de la mémoire où les distances

* Michel Tournier écrit dans *Le Vol du vampire* : « *Il faudrait créer le mot* anatopisme *pour désigner ces libertés prises au nom du rêve et de la poésie avec la géographie, tout de même que l'anachronisme désigne une infidélité à l'histoire.* » (p. 334[18]).

s'effacent, où les lieux se superposent, ignorant les années et les latitudes*.

Marguerite Duras a beaucoup parlé de l'Indochine et du Nord de la France. Leur point commun, ce à partir de quoi s'opère leur superposition dans ses textes, c'est l'élément qui pour elle est essentiel, le cœur de la nature, les eaux.

Dans *Les Parleuses*, Marguerite Duras se trouve soudain envahie par de très anciens souvenirs du temps où elle était petite fille en Indochine. Cherchant l'expression juste au milieu d'une conversation spontanée, elle dit : « *J'ai des souvenirs... ah... plus beaux que tout ce que je pourrai jamais écrire. Les plages de la mer..., comment ça s'appelle..., c'est le golfe du..., ailleurs je ne sais plus...* » (p. 142[2]). Et, au cours de ces mêmes entretiens, il y a un très beau passage sur le grand fleuve de l'Indochine :

> J'avais douze ans. On avait une maison à Sadec, sur le Mékong [...] il descendait des multitudes de jonques des campagnes — le Mékong irrigue des milliers de kilomètres, comme tu sais [...]. Mais, pour en revenir à ce Mékong, plein de multitudes de barques, c'était admirable à voir, les sampans noirs, tu sais, le Mékong est absolument terreux à la saison des pluies. J'ai occulté tout [...] Mais le Mékong est quand même resté quelque part. Ce Mékong auprès duquel j'ai dormi, j'ai joué, j'ai vécu, pendant dix ans de ma vie, il est resté. Puis quand je dis : « Qu'est-ce que c'est que cette rumeur? C'est le Gange » c'est le Mékong qui parle. (p. 137-8[2])

Cette longue citation qui m'a paru indispensable tant on y sent vibrer la voix de Marguerite Duras, est de 1974. C'est donc un texte proche de *L'Amour*, qui occupe en fait une position centrale dans l'œuvre complète de l'auteur, car

* « M. D. — *Faut que je dise tout de suite que la géographie est inexacte, complètement. Je me suis fabriqué une Inde* [...]. *Du point de vue scolaire elle est fausse.* X. G. — *Oui, scolaire, oui, c'est ça. Alors qu'elle est vraie dans ta tête. C'est une géographie très juste, pour toi.* M. D. — *Elle est absolument inévitable.* » (p. 169[2]).

Un Barrage sur le Pacifique dont le héros principal est en partie le Mékong dans son duel avec l'Océan Pacifique, a été écrit en 1950, et *Savannah Bay*, poème de l'eau et de la mémoire, est de 1982. Entre les deux il faut citer surtout *L'Amour*, *La Femme du Gange*, *Le Vice-consul*, *India Song*, *Son nom de Venise dans Calcutta désert*, tant les textes que les scénarios et bien sûr *L'Éden Cinéma* et *L'Amant*, ces deux métamorphoses du *Barrage*, en 1977 et 1984. Écrit en 1987, *Emily L.* se déroule dans le même cadre que *L'Amour*, où l'embouchure de la Seine dans le port du Havre se confond avec celle, fantaisiste, du Gange, et celle, matrice des autres, du Mékong.

Comme des petits ruisseaux, proches de la source, qui annoncent le fleuve puissant qu'ils formeront bientôt, deux textes mentionnent en signes avant-coureurs l'invasion prochaine de l'œuvre de Marguerite Duras par le Mékong. C'est d'autant plus frappant que ces deux œuvres, *Le Marin de Gibraltar* et *Les Petits chevaux de Tarquinia* (1952 et 1953), reflet l'un de l'autre, n'exploitent guère ce thème qui surgit et disparaît, comme nécessaire, mais dont la nécessité n'aurait pas encore été découverte par l'auteur elle-même.

Rêvant d'une évasion hors de sa vie médiocre de petit fonctionnaire, le héros du *Marin de Gibraltar* voit le symbole de sa liberté dans la Magra, fleuve qui traverse le village où il a soudain décidé de se rendre :

> C'est alors, que chaque nuit, un même fleuve m'apparaissait. (*MG*, 37)

> [À l'hôtel], la chambre donnait d'un côté sur le fleuve, de l'autre côté sur la mer. Du premier étage on voyait mieux les lieux, en particulier l'embouchure du fleuve [...]. La mer était calme, mais sa surface paraissait rugueuse à côté de celle, si parfaitement lisse, du fleuve. Un ruban d'écume brillante marquait leur rencontre. J'avais toujours bien aimé les paysages de ce genre, géographiques pour ainsi dire, les caps, les deltas, les confluents, et surtout les embouchures, la rencontre des fleuves et de la mer. (*MG*, 54-5)

Le fleuve est lié à l'oubli, à la libération : « *Je n'avais à me reposer de rien, que d'un mauvais passé.* [...]. *Dans l'eau* [...] *je l'oubliais* [...] *le fleuve devint une des choses délicieuses du monde.* » (*MG*, 75-6).

Je n'étudierai le thème des eaux que dans *L'Amour*, mais je voudrais signaler par exemple la Magra nommée aussi dans *Savannah Bay*, ou cette espèce de fenêtre ouverte dans l'été des *Petits chevaux de Tarquinia*, comme dans les peintures de la Renaissance : sans que rien ne justifie cette irruption en plein paysage italien, alors qu'elle regardait les hommes qui pêchaient,

> Il revint à la mémoire de Sara d'autres pêcheurs qui, dans des fleuves gris, aux embouchures marécageuses, résonnantes de singes, jetaient leurs filets de la même façon sereine, parfaite. Il lui suffisait d'un peu d'attention et elle entendait encore les piaillements des singes dans les palétuviers, mêlés à la rumeur de la mer et aux grincements des palmiers dénudés par le vent. Ils étaient tous les deux, le frère et elle, Sara, dans le fond de la barque, à chasser les sarcelles. Le frère était mort. (*PCT*, 54)

Ce passage qui a été écrit près de vingt ans avant *L'Amour* est singulièrement révélateur du rôle de l'eau — du fleuve en particulier, dans sa relation avec le temps et la mémoire. Il charrie tout un ensemble de souvenirs sans rapport immédiat avec le texte où il vient d'apparaître. Il y a comme une nécessité qui fait que dans un état d'esprit donné, l'atmosphère du récit exige soudain la présence du fleuve, et que ce fleuve amène avec lui des épisodes précis d'une époque révolue. Du fleuve, il est dit dans le même ouvrage qu'il est « *fait pour les attentes tranquilles, pas la mer* » (*PCT*, 62). La mer en effet est toujours objet de peur, rappel de mort.

Dans *L'Amour*, alors que le mot *fleuve* n'apparaît que trois fois en tout, la mer est directement nommée plus de quatre-vingts fois, sans compter les mots comme *rivière*, *source*, *flaque*, *marée*, *courant*, *houle*, *gouffre*, *abîme*, *coulée*, *eaux*. Il y a aussi les *embouchures* et la *trouée*, le *sel*, l'*iode*, les *algues*, la *vase*, les *berges*, les *rives*; des verbes comme *noyer*, *tourbillonner*, *submerger*. Il y a les *mouettes*, les *bateaux*. Et bien entendu la *plage*, les *sables*.

Il se crée là un décor qui est doublement important. Ce décor a d'abord une valeur visuelle, celle de l'image dans le film. Marguerite Duras compare le théâtre au cinéma et remarque le transfert de cette fonction de l'image au mot : « [...] *dans le théâtre, on ne montre ni la palmeraie ni les plages* [...] *mais Racine, il décrivait* [...]. *Un mot suffit.* » (p. 193[2]). Ainsi, cette présence de la mer dans *Mithridate* :

> Prêts à vous recevoir, mes vaisseaux vous attendent :
> Et du pied de l'autel vous y pouvez monter,
> Souveraine des mers qui vous doivent porter. (I, 3, vv. 240–2)

Chez Marguerite Duras aussi c'est le substantif qui est chargé du pouvoir maximum d'évocation. D'où le retour inlassable de certains noms. Le substantif est sujet ou complément d'objet, joignant son sens à celui d'un verbe qui a presque valeur de leitmotiv, généralement *voir* ou *regarder*. La mer est donc présence, spectacle avant tout. Ainsi tout au long du texte, on voit la mer qui « *monte* » (48), « *se calme* » (110) après avoir été « *démont*[*é*]*e* » (32) par des orages, « *s'ourle de blanc* » (50), « *déchiquette* » (49) la brume, « *bat, forte, sous le ciel nu* » (110), « *s'alourdit* » (137), « *devient vase noire* », « *se recouvre de vent* » (138), « *grandit, se décolore comme le ciel* » (142). Très rarement qualifiée par un adjectif de couleur (*rose*, *verte*, *oxydée*) ou de sensation (*fraîche*), elle est d'habitude suivie d'un attribut. Le verbe *être* donne à cette construction sa lenteur, son aspect de nécessité, d'essence : *la mer est basse, calme, plate, mauvaise, lointaine.*

Mais la construction la plus frappante, celle qui impressionne le plus, comme inéluctable, alliant la force du mouvement à la permanence qu'exprime le substantif, c'est celle où *mer* devient complément de nom : « *le mouvement de la mer* » (26), « *la trouée de la mer* » (44), « *l'engouffrement de la mer* » (46), et comme un écho, « *l'engouffrement du sel* » (49), « *les déchirures de l'eau* » (47), « *le mélange des forces d'eau* », « *la remontée brutale du sel* », « *le mouvement des marées* » (136). Accompagnée d'une *âcre odeur* de terre, d'une *odeur d'algues*, d'*iode* et de *sel*, la mer devient parfois *les eaux*, *le gouffre*, *l'abîme*. C'est à l'aide de ces mêmes mots que Marguerite Duras exprime ailleurs le sentiment que lui inspire Anne-Marie Stretter : « [...] *il est possible que je ne sache jamais pourquoi elle me retient comme ça. C'est un engouffrement d'un désir dont on ignore quelquefois l'existence.* » (p. 74[8]). Et encore, au sujet des miroirs que l'on voit dans ses films : « [...] *c'est comme des trous dans lesquels l'image s'engouffre et puis ressort* [...]. » (p. 72[8]). Certains de ces mots semblent s'appeler l'un l'autre. Ainsi dans *Le Ravissement de Lol V. Stein* : « *Une faiblesse monte dans mon corps, un niveau s'élève, le sang noyé, le cœur est de vase* [...] *il va s'endormir* [...]. *Elle appelle au secours la brutalité.* » (*R*, 111). Passage auquel fait écho *L'Amour* : « *La retombée brutale du sel vers le sommeil. La plainte appelle* [...]. *La mer monte* [...]. *Les berges sont noyées* » (*Amr*, 47-8).

On retrouve de façon frappante la présence de l'eau dans l'emploi métaphorique du verbe *déborder* : « [...] *les voix, ça me parle de partout* [...] *c'est une sorte de multiplicité qu'on porte en soi, on la porte tous, toutes, mais elle est égorgée; en général, on n'a guère qu'une voix maigre, on parle avec ça. Alors qu'il faut être débordée.* » (p. 103[8]). Et dans *L'Amour*, lorsque le voyageur essaie de reconstituer la chronologie des événements, le fou « *se retourne vers lui, le fixe de son regard absent, il est tout à coup submergé par la certitude* » (51). Dans sa descente aux Enfers, quand la femme a traversé l'épreuve terrible de la chaleur, l'effroi d'une S. Thala morte, on la voit aboutir :

> La mer. Elle la voit. [...]
> Elle était là, très proche. Le cœur de S. Thala donne sur la mer.
> (121)

Présente dans le livre tout entier, retenant prisonniers des sables qui la bordent ces personnages fous, la mer exerce un pouvoir de fascination brutale jusque sur le lecteur. Marguerite Duras la nomme « *la mer matricielle* » (p. 78[8]) qu'Anne-Marie Stretter « rejoint » lorsqu'elle se suicide. Mer, mère, mort, tout cela se confond. « *La mer me fait très peur, c'est la chose au monde dont j'ai le plus peur* » dit Marguerite Duras, « *mes cauchemars, mes rêves d'épouvante ont toujours trait à la marée, à l'envahissement par l'eau* » (p. 84[8]). C'est le foyer de toutes les épouvantes, des plus anciens souvenirs.

Plus encore que la mer, ce sont les embouchures qui fascinent Marguerite Duras. Il y a là un mouvement, une agressivité, le combat de deux forces ennemies qui leur donnent une signification particulière. Enfant, elle a assisté à la lutte du Mékong contre le Pacifique, du fleuve contre l'Océan, des eaux douces contre les eaux salées. Pour sa mère, c'était une question de vie ou de mort, de survie pour elle-même, pour ses enfants, pour les Vietnamiens exploités et mourant de faim. Ces tentatives répétées de conquête de terres cultivables, toujours soldées par des échecs, ont accaparé toute son énergie. Elles l'ont détournée des besoins affectifs immédiats de ses enfants, ont fait d'elle en même temps une mauvaise mère et une mère admirable, et l'ont conduite à la folie et à la mort, la mort de l'âme sinon celle du corps — « *Elle a perdu la raison* [...] *elle voulait mourir.* » (p. 59[8]) — la transforment en une figure plus grande que nature, inoubliable dans son ambiguïté.

Cela n'a jamais quitté la mémoire de Marguerite Duras qui retourne toujours aux embouchures, théâtre de ce combat qui a rythmé sa jeunesse. D'où l'emploi négatif du mot *sel* — ce sel qui brûlait les terres et tuait les espoirs de récolte : elle parle dans *L'Amour* de « *gouffre de sel* » (8, 27) de l'« *engouffrement du sel* », de « *l'abîme de sel* » (49). *Sel* et *iode* sont souvent coordonnés en une sorte de formule qui évoque quelque chose de stérile. Lorsque « *le sel se sépare* [*et*] *ne pénètre plus,* [*on aboutit à*] *la paix des eaux* » (50). À l'opposé on a ce « *choc sourd* [*qui*] *arrive des embouchures* » (21), on a cette synonymie cruelle des *embouchures* avec « *la trouée de la mer* » (44), le « *désordre des embouchures* » (46), « *l'embouchure tourbillonnante* » (47). On trouve dans *L'Amour* une très belle métaphore du combat du Mékong, de la mère, contre le Pacifique, du principe nourricier, féminin, contre le principe mâle de destruction. La conscience endormie de la femme est cruellement déchirée par ces deux forces antagonistes que représentent le marcheur et le voyageur et on voit parallèlement « *la rivière envahie, les déchirures de l'eau, le mélange des forces d'eau* » (47), avec cette entêtante répétition, et cela aboutit à l'admirable superposition de symboles, cette « *remontée brutale du sel vers le sommeil* ». C'est une bataille livrée sur tous les plans, érotique et affectif, passé et actuel. La nature et l'âme sont dans une parfaite correspondance. Il s'agit d'un même viol dans les deux cas ; la femme, l'eau douce, l'éternité calme et contemplative du fleuve sont opposées à la barbarie d'un désir qui tue.

VI

TECHNIQUES

> « *Distress is a compulsion to examine minutely — this anguished restless necessity, when something can't be undone, when there's nothing to be done, to keep going over and over the same ground.* »
> (p. 97[19])

L'ÉCRITURE de Marguerite Duras est la même dans les trois genres où elle a choisi de s'exprimer : le récit, le théâtre et le cinéma. Dans les trois genres, sa technique a ceci de particulier qu'elle écarte le concept, l'explication, la logique qui recherche les causes et les effets et les remplace par l'image ou le mot qui en tient lieu, souvent répétés dans le but non de convaincre mais d'investir le lecteur. « *Ce qui lui manque en logique,* [*elle*] *le retrouve en obstination.* » (p. 10[16]).

On peut noter d'ailleurs à ce sujet que *L'Amour* se compose essentiellement sur le plan syntaxique de propositions indépendantes simplement juxtaposées ou de principales accompagnées de subordonnées complétives. Les subordonnées circonstancielles servent presque toutes à marquer le moment de l'action : c'est-à-dire qu'elles en précisent un aspect non logique. Ainsi, *Son nom de Venise dans Calcutta désert* déroule très simplement devant le spectateur-auditeur une suite d'images lentes, qu'accompagne une bande sonore, au premier abord sans rapport qui les relie. Ce qui en résulte, c'est ce que Mallarmé appelle un « *tiers aspect fusible et clair, présenté à la divination* » (p. 365[20]). La fonction des images et des mots est pareille. Il ne s'agit ni d'expliquer ni de décrire, mais de montrer et de nommer. Seulement, le film présente d'autres images que ce que nomment les mots, et c'est à partir de là qu'on comprend ce que « nommer » signifie dans l'art durassien. La parole y reprend son « *état* [...] *essentiel* » (p. 857[20]), le *dire* est chez Marguerite Duras comme chez Mallarmé *rêve* et *chant*. Toutefois, il n'est pas question de « nommer » dans le sens où l'entend Mallarmé lorsqu'il déclare : « *Nommer un objet, c'est supprimer les trois quarts de la jouissance du poème qui est faite de deviner peu à peu : le suggérer, voilà le rêve.* » (p. 869[20]). Une nuance très subtile intervient ici : chez Marguerite Duras, on ne « devine » pas « peu à peu »; le processus d'un déroulement de l'idée dans le temps est remplacé par l'art de conjurer immédiatement une présence étale, infinie, hors du temps. Lorsque Marguerite Duras nomme, elle fait appel à l'essence même de ce qu'elle a ainsi évoqué, en dehors de toute catégorie temporelle. Ce qui est nommé, est — dans son éternité. C'est pourquoi le fleuve peut être simultanément celui qu'on voit, celui dont on se souvient, un fleuve d'eau et un fleuve symbolique, sans qu'aucun de ces aspects ne soit prédominant. C'est une présence unique et multiple. Le substantif montre, et cela est indiqué par l'importance du regard aussi bien dans *L'Amour* que dans le reste de l'œuvre de Marguerite Duras. Par exemple le mot *blondeur* contient Valérie Andesmas mieux que ne le ferait un long portrait, et sa blondeur est à la fois cet éclat chatoyant et lumineux de sa chevelure, sa relation à son père et à son amant, sa jeunesse, sa cruauté inconsciente.

Le verbe lui aussi peut assumer la même fonction. Ainsi les verbes *remuent*, *bougent*, qui décrivent le mouvement des *plantes noires* comme venant non du vent mais d'elles-mêmes, animées de l'intérieur par cette conscience primitive, inquiétante, qui est celle des excroissances mi-végétales mi-animales qui tapissent le fond des océans, et dont la présence fantomatique obéit à la *houle*.

On voit donc l'objet nommé et c'est de cette façon qu'on voit dans *L'Amour* l'eau et le sable qui sont d'abord paysage et décor. Mais plus que cela, ils sont ce qu'ils ne désignent pas directement, ils sont le temps, l'angoisse et la peur, la solitude, l'espace vide. Ils sont l'âme profonde des personnages que l'on atteint sans passer par aucun « psychologisme ».

Mer et sable représentent l'infini, l'infiniment grand composé d'une infinie multitude d'infiniment petits. Ils sont ce qu'on ne peut mesurer, dont on ne vient jamais à bout. Plus encore, ils sont ce qui passe et qui demeure, l'identique qui n'est jamais le même, ce qui se meut et dont le mouvement ramène toujours au même point. Ils sont insondables comme la mémoire et comme l'angoisse des personnages. Leur présence est absolue. Ils sont l'écho et le reflet de cet inconscient de la femme que *L'Amour* met en scène sous forme d'individus distincts, que pourtant sa mémoire et sa sensibilité confondent, superposent, brouillent et séparent pour recommencer encore et encore. Ce sable que le voyageur fait couler sur le corps endormi de la femme, qui s'écoule à mesure qu'il est versé, Marguerite Duras le considère comme le symbole du temps, le sable des sabliers — « *le sable, c'est le temps* » (p. 85[8]). Mais le mot que prononce le voyageur à ce moment, c'est : « — *Amour.* » (124). Il y a une analogie entre ce sable qu'on ne peut saisir ni garder, et l'amour comme le vit cette femme, « *objet du désir absolu* » (50), amour non vécu ou indéfiniment morcelé. Il y a antinomie entre le temps et l'amour, et aussi similitude, tout ceci, la mer, les sables, formant une seule et même catégorie où l'instant et l'éternité sont interchangeables.

De plus, lorsque l'objet est nommé, non seulement le lecteur le voit, obéissant ainsi au désir de l'auteur et le suivant dans le récit imaginé par celui-ci. Mais aussi, le lecteur le pense, car la vue d'un objet implique sa présence dans la conscience sous la forme du mot qui le représente. Lorsqu'on lit *la mer*, *les sables*, en même temps qu'on voit la chose, on la dit intérieurement. Et la disant, on transforme ce qui était création de l'auteur en sa propre création. C'est en lisant — en disant les mots *mer* ou *sables* que la mer et les sables se trouvent suscités par la conscience du lecteur. Objets vus, ils sont à l'extérieur du lecteur, mais objets pensés, ils sont en lui. Ainsi *L'Amour* devient un texte dont on ne sait pas qui l'invente, on le porte en soi, on lui imprime son rythme personnel, on en fait une émanation de soi (*passim*[18]).

Maupassant écrivait :

> Depuis huit jours il neigeait, et la terre brune, la terre déjà fécondée par les semences d'automne était devenue livide, endormie sous un grand drap de glace.
>
> Il faisait froid dans les chaumières coiffées d'un bonnet blanc ; et les pommiers ronds dans les cours semblaient fleuris poudrés comme au joli mois de leur épanouissement. (p. 221[21])

Peintre somptueux, il fait voir au lecteur un tableau, compare, établit des métaphores, le guide dans sa vision. Il dessine, le lecteur regarde.

Il écrivait ailleurs :

> Dans cet esprit simple, chez qui les idées n'étaient guère encore que des images nées directement des objets, les pensées d'amour ne se formulaient que par l'évocation d'une grande fille rouge, debout dans un chemin creux, et riant, les mains sur les hanches. (p. 220-1[21])

Psychologue attentif et moqueur, il met le lecteur dans son camp et lui explique le fonctionnement de l'esprit de son personnage, le guide encore une fois.

Environ un siècle plus tard, Marguerite Duras écrit :

> Elle se tait. Il ne questionne pas. La phrase reste ouverte, elle n'en connaît pas la fin. Elle se fermera plus tard, elle le ressent, ne précipite rien, attend.
>
> À l'autre bout de la plage, le long de la digue, la marche a repris. Le parcours est régulier. Il va, il vient. Il est visible tout au long du parcours. [...]
>
> [...]
>
> Elle ne bouge pas, attentive au déroulement de sa propre parole.
>
> [...]
>
> Écoulement de sable, continu. La marche du fou bat le temps de sa parole. (62-3)

Ce passage inclut décor, personnages, et action, tels qu'ils existent dans le déroulement « réel » du récit — ou bien sont-ils métaphoriques, n'existant que dans la conscience de la femme, donnant à sa pensée la possibilité d'être formulée ? Il contient aussi l'indication précieuse de la phrase en suspens, attendant la pensée encore inexistante pour se créer en même temps qu'elle. Où est l'auteur omniscient qui pense pour le lecteur et le dirige dans ce labyrinthe ? À la limite, qui est-ce qui pense ? Cette réflexion obscure, fragmentée, le lecteur doit l'intérioriser et la penser étape par étape avec le personnage lui-même — avec l'auteur lui-même probablement.

C'est pourquoi un critique a pu dire à Marguerite Duras que c'est lui qui « avait écrit » ses livres à elle.

Substantifs ou verbes, les mots choisis sont chargés d'un pouvoir de suggestion impressionnant. La limite est délicate à établir entre le simple sens du mot et sa charge d'image et d'impression. Soit que Marguerite Duras joue des sonorités : « *Le ciel est léger, le temps est très clair.* » (58), ou des échos : « *elle se retourne encore. Il la détourne* » ; ou alors, par le biais d'une répétition habile, qu'elle installe une sensation dont on se trouve soudain prisonnier sans y avoir pris garde :

« *On dirait qu'elle a froid.* [...] *Elle* [...] *regarde l'hôtel* [...] *elle regarde de nouveau l'hôtel.* » (57). « [...] *elle regarde la façade blanche du bâtiment.* [...]. *Elle a toujours froid, l'hôtel la poursuit* [...]. *Elle est encore tremblante. Encore une fois, l'hôtel, derrière.* » (58-9).

D'évidence, le frisson vient de l'impression confuse que fait sur elle l'hôtel. Cela n'est pas expliqué, mais s'affirme lorsque le thème du froid et celui de l'hôtel, d'abord distincts, se sont rejoints.

Toutefois, la valeur incantatoire du nom est surtout due au processus de répétitions qui apparaît dans toute sa perfection dans *L'Amour*.

Certes, la répétition a marqué dès le départ le style de Marguerite Duras. Mais je voudrais signaler un des usages qu'elle en fait avant *L'Amour* et qui est très différent. Dans *Le Marin de Gibraltar* et *Les Petits chevaux de Tarquinia* par exemple, on a un type de répétition mécanique, où ce qui est répété semble parfaitement inutile et inintéressant. On dirait de la maladresse, voulue, comme une révolte d'écolière à qui on a signalé qu'il ne faut jamais répéter un mot mais le remplacer par un synonyme si l'on veut écrire une bonne rédaction. Ainsi, un exemple entre mille, la répétition des *pâtes aux vongole* ou du *bitter campari* (*PCT*). Il y a là une volonté délibérée de refuser les règles du « beau style », et en même temps, chose beaucoup plus importante, et qui rappelle *le pauvre homme* ou *le poumon* de Molière, une déshumanisation des personnages, leur transformation en poupées mécaniques. C'est le choix conscient d'un procédé qui empêche toute tentative d'identification facile avec des héros de roman au sens habituel du mot. L'aboutissement de ce prodédé, on l'a dans *Le Vice-consul*, par exemple, avec ses cris et sa voix sifflante, ou dans la mendiante sans visage, et bien entendu dans *L'Amour* : *son visage est indistinct*, *il marche* — répétition obsessive d'une action accomplie par quelqu'un qui n'est personne.

L'identification lecteur-personnage-auteur, si marquée dans toute l'œuvre de Marguerite Duras, est due à un emploi différent de la répétition, qui mène à l'envahissement tant du personnage que du lecteur, par une sorte d'incantation entêtante, indéfinissable, une espèce d'hypnose insidieuse semblable à « *l'investissement des sables de S. Thala, objet* [*du*] *parcours* » (107), « *labeur* » de la femme et du marcheur. Il s'agit là de la figure de style que Jean Paulhan appelle une « *figure de passion* » (p. 286[5]), qui traduit un sentiment intense, la souffrance le plus souvent. L'action du marcheur, de la femme, sont la représentation corporelle du mouvement obsessionnel des pensées de la femme, et l'instrument qui incorpore au récit les réactions du lecteur, l'enfermant ainsi dans le même rythme obsédant. C'est véritablement une nécessité interne qui fait de la répétition l'expression la plus adéquate du sens profond de *L'Amour*, dont on peut dire qu'il est le portrait d'une âme torturée par sa fixation sur un drame ancien et devenue la proie d'un rite stérile. Celui-ci « *est, quant à son contenu même,* [...] *une conduite de répétition. Le rite est une conduite globale dont tous les gestes élémentaires sont unifiés et vivifiés par la référence mnémonique à un Événement antérieur et quasi originel, que le rite a précisément pour fonction d'imiter dans le présent et d'actualiser dans l'espace.* » (p. 50[14]).

C'est à l'aide de ce procédé que Marguerite Duras tisse autour des personnages de *L'Amour* un « *réseau de lenteur* » (9). Car la répétition lorsqu'elle consiste à reprendre un substantif tel quel ou dans sa forme plurielle, oblige à une lecture lente. Il faut donner au mot le temps de se poser : il contient alors à lui seul tout ce qu'aurait exprimé une phrase ordinaire. Il faut donner à chaque son qui sera répété le temps de disparaître complètement avant d'être repris par son écho, autrement on aurait un effet de bégaiement absurde. Il faut aussi que le lecteur, dans son esprit, saisisse cette forêt de connotations de tous ordres dont le mot s'accompagne, et qui sont d'autant plus nombreuses qu'elles sont non précisées. On supplée à tout ce qui est tu, sur le plan syntaxique et sémantique, mais sans rien pouvoir choisir de précis, il y a donc comme un fond sonore et vague qui enveloppe ces mots répétés et ralentit leur passage : « [...] *one had constantly a sense of repetition, — of one thing falling where another had fallen, and setting up an echo which chimed in the air and made it full of vibrations.* » (p. 183[17]).

Le silence est aussi présent que le son et c'est leur alternance qui rythme le texte, tout en lui donnant cette profondeur infinie puisque rien d'écrit ne permet de la limiter. La répétition est aussi à la base de la dynamique musicale du texte, le rythme étant ce qui impartit au texte la rapidité et l'intensité : l'identité des mots demande une nuanciation plus ou moins marquée dans leur énonciation, le lecteur choisissant librement le niveau qui convient à son interprétation du passage. De même que le texte en alexandrins superpose un mètre imposé à une diction personnelle — à la fois libre et tenue par les contraintes de ce moule —, de même dans la prose poétique de *L'Amour*, l'auteur par son choix des mots et de la ponctuation, par leurs combinaisons, impose une partition musicale dont la liberté rythmique relative est l'une des caractéristiques. Délivré de la syntaxe ordinaire, le texte crée lui-même un mouvement que le lecteur saisit et module, qu'il phrase de façon personnelle à l'intérieur de lois non écrites. Cela rappelle le prélude libre baroque où la liberté d'interprétation est toutefois soumise à une connaissance implicite des lois du genre.

Le substantif répété arrête donc le temps, contenant « *la notion pure* » (p. 857[20]). Pour Todorov, « *la poésie se fonde essentiellement* [...] *sur la répétition* » (p. 144[6]). C'est là certainement l'élément le plus remarquable du style de Marguerite Duras. Commentant son œuvre, Danielle Bajomée affirme avec une prudence qui paraît excessive : « *Comment nier qu'il existe un style Duras ?* » (p. 8[3]). Or non seulement il n'est pas question de le nier, mais au contraire c'est le style qui est l'essentiel de cette œuvre éminemment poétique. On peut « raconter l'intrigue » des récits de Marguerite Duras, on peut en extraire des faits intéressant la philosophie, la psychanalyse, comme on peut le faire de toute œuvre sérieuse. Mais on n'a plus alors l'œuvre spécifique de Marguerite Duras. Ce qui fait la spécificité de la création littéraire, c'est l'impossibilité de dissocier ce qui est dit de la façon dont c'est dit. Ce qui est pensé oblige au choix d'une expression qui à son tour redétermine la pensée. C'est aussi cela qui constitue la différence entre le journaliste et le poète. Marguerite Duras est poète. En plein vingtième siècle il n'est plus nécessaire de s'exprimer en alexandrins pour faire œuvre de poète. La démarche, quelle qu'elle soit, doit « charmer » et cette écriture si particulière fondée sur la répétition et l'usage privilégié du substantif, est pure incantation (p. 144[6]) : Marguerite Duras déclare : « *Dans mes livres* [...] *il y a de moins en moins de mouvements de style, je reste au même endroit.* » (p. 94[8]).

En opposition à la technique de répétition raide et mécanique que j'ai relevée dans *Les Petits chevaux de Tarquinia*, on trouve dans *L'Amour* une façon de procéder très différente, très variée.

On peut avoir la répétition d'une tournure syntaxique, et de certains des mots qui la composent : « *Reste fixe* » (94), « *Reste rivé au sable* » (104), « *La voix est neutre* [...]. *La voix est claire* » (97). Les mots répétés peuvent revenir en fin de mesure : « *Ils vont autour du corps endormi.* [...] *Ils sont assis près du corps endormi.* » (51). Il peut s'agir de la modulation subtile d'une idée ou de la décomposition d'une action en ses fragments successifs :

Elle se lève,
Elle se tient debout. [...]
Du temps passe, puis ils se lèvent aussi.
Ils sont debout. (30-1)

Parfois c'est une légère variante dans la reprise d'un même verbe : « *Ils se regardent, ils regardent* [...]. » (31).

Il arrive que le même groupe de mots soit repris de façon identique :

— Je suis en train de mourir.
[...]
— Je suis en train de mourir. (61)

Le plus souvent, la répétition est insinuante, subtile. Elle crée un écho plus ou moins rapproché ou lointain, d'une grande délicatesse :

Elle regarde au-delà de l'hôtel et des parcs, l'enchaînement continu de l'espace, l'épaisseur du temps. (107)

Une brise fraîche arrive de la mer, très douce, à l'odeur algues et de pluie.
[...]
[...] Elle ne regarde plus. Elle ne regarde rien. Elle est droite, face au temps. [...] (108)

Elle s'éloigne sur le chemin de planches. La brise continue, fraîche, à couvrir la plage, [...]. (109)

L'entrelacement des mots répétés relève alors d'une technique beaucoup plus musicale. Je n'en citerai que deux autres exemples — il faudrait en réalité citer le texte entier, s'abandonner à son enchantement :

Trois jours. Lumière d'or.
Trois jours au cours desquels rien n'arrive, que le rongement incessant qui croît avec la lumière, décroît avec elle.

Soleil fixe sur S. Thala. Vent. Lumière d'or fixe, fouettée par le vent. Odeur du sel et de l'iode mêlés, âcre odeur déterrée des eaux. (109)

Ce passage est un magnifique contrepoint où la nature enveloppe les personnages dans un mouvement tout à la fois circulaire et asymétrique.

Plus sobre, un autre texte joue encore ce rôle de miroir où se confondent la pensée intérieure et le monde extérieur :

Ils se regardent encore, puis le visage se détourne, la main retombe.
Ils restent là, sans parler.
Longtemps.
Le bruit décroît.
L'endroit se vide.
Ils regardent, ils écoutent devant eux. Longtemps.
Le bruit ici décroît encore. Elle est comme attentive à un terme dont la menace semble grandir à mesure que décroît le bruit. [...] (37)

Ici, au retour et à l'entrelacement irrégulier de certains mots, s'ajoutent les blancs qui soulignent et magnifient la ponctuation.

Le texte se termine sur une vision qui rappelle la Genèse — tout à la fois naissance et résurrection. Cette vision est sourdement rythmée par le retour à intervalles plus ou moins espacés d'une phrase : « *On entend* », tam-tam, battements ralentis du cœur — extase.

La répétition est l'armature qui supporte tout *L'Amour*. Image de cette répétition « *sempiternelle* » (90), qui occupe l'âme de Lol, sujet donc du récit, elle se matérialise sous la forme de personnages dont chacun reflète ou représente l'autre, le répétant sous un aspect différent, et impose son rythme au lecteur.

À ce procédé de base s'ajoutent quelques emplois particuliers de l'adjectif, du verbe, de la ponctuation, et des adverbes d'affirmation et de négation.

Les adjectifs qualificatifs sont rares (*nu*, *fixe*) sauf les adjectifs ou substantifs de couleur, relativement nombreux, qui peuvent être groupés en deux séries. Il y a ceux qui marquent l'absence de la lumière, *sombre*, *obscur*, ou son intensité — et ceux-ci s'échelonnent du plus faible au plus intense, de *clair* à *illuminant*, avec les tonalités du *blond* (une seule fois, pour les arbres), ou de *l'or*. Il y a surtout le blanc et le noir (rarement le gris), dans une dichotomie obsédante. Le bleu apparaît dans deux contextes : la ville bleue d'une part, où cette couleur d'horizon lointain s'accompagne d'une nuance d'irréalité, de mirage; et surtout les yeux, le regard, violents ou transparents. Seules autres couleurs mentionnées, et une seule fois chacune, peignant la mer : le vert et le rose. D'abord : « *C'est la mer du matin, elle bat, verte, fraîche* » (59), avec la modulation du son [e], la reprise du [r], évocation infiniment gracieuse dans l'isolement des deux adjectifs qui se font l'écho sonore l'un de l'autre, et l'écho des vagues. Et puis, dans l'aube de la liberté retrouvée : « *La surface de la mer s'éclaire de rose.* » (141) — rappelant le lointain souvenir des « ailes noires glacées de rose » du très célèbre texte de Chateaubriand sur Athènes — ville de mer et de lumière. Tout cela est d'une extrême sobriété.

Une autre catégorie d'adjectifs, nombreux ceux-là, ce sont les adjectifs de privation précédés tous du même préfixe : *incertain*, *irrégulier*, *infini*, *indistinct*, *incessant*, *inaccessible*, *incontrôlable*, *indéfini*, *illimité*, *insensé*, *insaisissable*, *impossible*, *immobile*. Très fréquents, tous abstraits, ils concourent à donner au texte sa qualité d'absence, servant à priver et non à ajouter.

Dans l'ensemble, les autres adjectifs, assez rares, sont souvent remplacés par un participe passé, forme qui est comme privée de vie dans la mesure où elle indique l'achèvement; par un complément de nom, tournure qui fige l'image dans sa qualité de substance, ainsi « *l'épaisseur, la masse de S. Thala* » (52), la *fixité* du regard ; et surtout, par l'emploi très fréquent de la proposition relative, tournure lourde qui ralentit le mouvement de la phrase.

Cette même impression de lenteur, de lourdeur, est obtenue par l'emploi de verbes « inexpressifs » — le verbe *avoir* dans sa forme présentative, *il y a* ; le verbe *être* amenant l'attribut. Ainsi « l'ouverture » de *L'Amour* est d'une solennité frappante, combinant la phrase sans verbe, la construction attributive, la répétition et une ponctuation qui donne du poids aux mots en les isolant :

> Un homme.
> Il est debout, il regarde : la plage, la mer. La mer est basse, calme, la saison est indéfinie, le temps, lent. (7)

L'auteur refuse les tournures expressives, les verbes qui se chargent de suggérer le mouvement, la variété, la précision d'une action ou d'un processus mental. Le choix délibéré de formules usées crée une léthargie, un effet de sourdine essentiels au texte.

Ces procédés grammaticaux s'ajoutent au vocabulaire où abondent des noms comme le *sommeil*, la *mort* ou leurs équivalents verbaux, des adverbes qui étirent le temps : *lentement*, *longtemps*.

Des phrases très simples suppriment la mobilité : « *Elle se tait.* » (15), « *Elle dort.* » (124), « *Elle pleure.* » (102). Remplacées par des tournures équivalentes, le substantif-sujet porte alors le sens : « *Des sanglots sortent de lui.* » (131), ou bien le déséquilibre d'un long complément d'objet : « *Ils entendent les plaintes amoureuses, les gémissements atroces du plaisir.* » (139), « *Elle a un geste ouvert d'une tendresse désespérée* [...]. ». Très souvent l'auteur se sert de la phrase sans verbe : « *Devant lui, la route vide, derrière la route, des villas éteintes, des parcs. Derrière les parcs, l'épaisseur, insaisissable, de S. Thala* [...]. » (42), « *Lumière arrêtée, illuminante.* » (17). L'emploi de l'attribut contribue à donner la même impression de constatation définitive : « *L'absence de son regard est absolue.* » (16), « *Le regard bleu est d'une fixité engloutissante.* » (17).

Le verbe, précédé d'une formule de présentation et de nombreux adverbes ou de leurs équivalents, peut être repoussé en fin de phrase : « *Au loin, de derrière la digue, le voici, en effet, qui surgit.* » (60). Dans un cas comme celui-ci plutôt que d'assister au mouvement lui-même, le lecteur est mis devant le fait accompli de l'apparition devenue déjà vision.

Il faut noter l'emploi exclusif (en dehors de quelques passages en style direct) du présent de l'indicatif. En effet, le présent est le temps du rite « *dont le sens est d'être la représentation actuelle d'un événement Premier* » (p. 52[14]).

Ainsi le récit se déroule au moment même où il est lu, créé devant le lecteur en même temps qu'il semble créé par lui. Les événements racontés et leur lecture sont synchrones. Au présent, le verbe rapporte une action immédiate qui s'exécute sous le regard du lecteur, reprenant la fonction de l'image dans le film. On assiste à la naissance de l'action : « *Il arrive.* » (29), « *Il vient.* », cas où le présent a une valeur d'aspect inchoatif. On est là où sont les personnages et on vit le récit avec eux.

L'imparfait, temps classique de la narration, rapporte des faits révolus au moment où le lecteur en prend connaissance, et implique donc que l'auteur — sinon le protagoniste, connaît l'avenir. Cela est rassurant, car si dramatiques que puissent être les faits, comme Dieu dans sa sagesse omnisciente, l'auteur se porte garant d'une sorte de nécessité qui justifie la succession des événements. Le lecteur se borne à découvrir quelque chose qui se trouve déjà — de toute éternité — inscrit dans le grand Livre de la Création. Une destinée déjà voulue, déjà créée.

Dans l'emploi du présent, on sent l'absence de l'auteur. L'événement se produit au moment précis où le lecteur en prend connaissance, l'avenir est encore irréalisé, et cela crée l'angoisse. On vit la vie des personnages à leur rythme, dans leur ignorance de ce qui suivra, dans le vertige d'un futur encore vierge. Dans un texte comme *L'Amour*, le présent est le temps de la participation et de la peur.

La juxtaposition, très fréquente dans *L'Amour*, joue un rôle de prolongement de la mesure rythmique, créant un écho, un arrêt du temps, forçant le lecteur à ralentir, à se faire attentif : « *La plage, la mer sont dans la nuit.* » (20) ; « *La mer, la plage, il y a des flaques, des surfaces d'eau calme isolées.* » (7). Il s'agit le plus souvent d'un redoublement du substantif. Mais parfois, des pronoms ou des noms se trouvent juxtaposés et semblent avoir le même antécédent ou la même fonction, alors que le sens a subi un glissement, et un moment d'incertitude crée encore ce *ralentando* musical : « [...] *une flaque se vide, une source, un fleuve, des fleuves, sans répit, alimentent le gouffre de sel.* » (8), « *Elle la montre, c'est la mer du matin, elle bat, verte, fraîche, elle avance, elle sourit, elle dit : — La mer.* » (59). Dans le premier cas on hésite un moment sur les mots « *source - fleuve* », qui semblent reprendre la fonction de « *flaque* » comme sujet de « *se vide* », alors qu'en fait ils sont les sujets d'« *alimentent* ». Dans le second cas, « *elle* » c'est la femme, puis la mer, puis de nouveau la femme, et il faut donc, s'apercevant chaque fois que l'on s'était trompé, s'arrêter, revenir en arrière, et relire dans une autre direction. Un autre type de juxtaposition établit une synonymie entre les mots : « *Elle regarde au-delà de l'hôtel et des parcs, l'enchaînement continu de l'espace, l'épaisseur du temps.* » (107).

Il y a enfin un procédé particulier à Marguerite Duras, dont elle se sert dans toute son œuvre, un moyen de ponctuation, de *decrescendo* de la voix, d'arrêt du texte, lorsqu'au cours de ces dialogues qui apportent peu d'information un des personnages souligne ce qui vient de lui être dit par *Oui* ou *C'est ça*. Le rôle de ce procédé est d'ordre purement rythmique, il s'agit de marquer un moment consacré à l'intériorisation, à un retour sur soi.

CONCLUSION

Si une première lecture de *L'Amour* fait ressentir avant tout sa qualité de « *discours opaque* » (p. 51[6]), il s'y ajoute cependant la conviction immédiate que la clef de son hermétisme peut être découverte dans un retour répété au texte : « *L'analyse intrinsèque de l'œuvre écrite elle-même* [s'avère préférable à tout recours à des études sur l'auteur, ou à des documents biographiques, car] *c'est à elle qu'un écrivain véritable confie ses questions insolubles, ses trouées dans le réel, sa vérité. Sans doute scellées de multiples sceaux.* » (p. 185-6[11]). Ainsi sollicitée, l'œuvre répond aux questions du lecteur, lui offrant, dans le cas présent, son rythme comme fil d'Ariane. Quant à son apparence illogique ou absurde, il en trouve la solution dans une docilité accrue — non pas une explication des détails difficiles mais une transposition de l'œuvre entière dans un autre registre, celui du rêve, de la folie, — ou de l'inconscient et de la mémoire. À ce stade, la lecture s'organise d'elle-même, le plan du texte surgit, très clair : deux parties, l'une composée de quatre séquences rythmiques reliées entre elles par des « récitatifs », et une seconde partie linéaire qui conduit à l'épilogue.

L'Amour étudié en tant qu'œuvre indépendante se présente comme un récit poétique qui met en scène trois personnages principaux dans un cadre très dépouillé. Certains indices cependant poussent à replacer cette œuvre à l'intérieur de la production totale de Marguerite Duras, comme faisant suite au *Ravissement de Lol V. Stein.* J'ai donc montré comment les faits, passant d'un texte au suivant, se transforment, atteignant un degré de plus en plus marqué d'abstraction. *L'Amour* fait suite aussi à *Abahn, Sabana, David* dont il reprend le thème qu'il soumet à cette même métamorphose poétique, ne gardant du souvenir d'événements vécus que l'essence.

L'auteur, parmi divers procédés stylistiques, fait un emploi particulier de la répétition. La construction ainsi obtenue d'un véritable *réseau* d'images et de sons transporte le lecteur du monde de la réalité extérieure à celui de la mémoire, du temps intérieur réorganisé sur des bases différentes. Texte difficile, cet ouvrage déroule devant l'imagination du lecteur un paysage d'une grande simplicité de dessin, et d'une présence obsédante, thème aux variations délicates qui garde ainsi son pouvoir d'envoûtement ; en même temps, c'est un paysage intérieur, symbolique, relevant avant tout du « *monde du langage composé de signifiants dont le premier effet est d'équivoque* » (p. 212[12]), d'où son caractère intensément poétique.

Le livre révèle alors toute sa splendeur, refusant de se laisser classer comme roman réaliste ou « courant de conscience » à la façon de l'œuvre de Proust ou de Joyce. *L'Amour* est la mise en scène de symboles dans la confusion voulue de plusieurs plans de réalité, sous l'impulsion de la mémoire, illustrant cette affirmation de Todorov : « [...] *il existe des figures du récit qui sont des projections des figures rhétoriques.* » (p. 35[6]). En effet, sa composition reproduit la « métaphore obsédante » du combat de la mer et du fleuve. Et l'emploi de la répétition et du présent est comme la matérialisation de son sujet — l'obsession et le temps étale.

Aucune explication préférentielle n'est permise : métaphore d'une âme et de sa lutte contre le temps, *L'Amour* est un texte essentiellement ambigu car aucun code ne le recouvre parfaitement. Mais des codes multiples, interchangeables, équivalents, se chevauchent, d'une inadéquation qui seule assure la valeur poétique du texte. « *Pour la lecture* » écrit Todorov, « *le texte n'est jamais autre, il est multiple.* » (p. 245[6]). Aussi, le but de ce travail n'a pas été d'« expliquer » *L'Amour*, mais d'en proposer une « lecture », d'offrir le résultat d'un dialogue établi entre le texte et son interprète, le premier répondant aux questions de l'autre — et chaque réponse ouvrant une multitude de nouvelles perspectives de questions et de réponses.

1. Nicole Lise BERNHEIM, *Marguerite Duras tourne un film* (Paris, Albatros, 1981).
2. Marguerite DURAS et Xavière GAUTHIER, *Les Parleuses* (Paris, Minuit, 1974).
3. Danielle BAJOMÉE, *Duras ou la douleur* (Bruxelles, De Bœck, 1989).
4. Milan KUNDERA, *L'Art du roman* (Paris, Gallimard, 1986).
5. DU MARSAIS, *Traité des tropes* suivi de Jean PAULHAN, *Traité des figures ou la rhétorique décryptée* (Paris, Le Nouveau Commerce, 1977).
6. Tzvetan TODOROV, *Poétique de la prose* (Paris, Seuil, 1971).
7. Paul VALÉRY, *Œuvres* I (Paris, Gallimard, « Bibl. de la Pléiade », 1975).
8. Marguerite DURAS et Michelle PORTE, *Les Lieux de Marguerite Duras* (Paris, Minuit, 1977).
9. Nathalie SARRAUTE, *Enfance* (Paris, Gallimard, 1983).
10. Dionys MASCOLO, *Autour d'un effort de mémoire* (Paris, Nadeau, 1987).
11. Gérard HADDAD, *Manger le livre* (Paris, Grasset, 1984).
12. Gérard HADDAD, *L'Enfant illégitime* (Cahors, Point Hors Ligne, 1990).
13. AUGUSTIN (saint), *Confessions* (Paris, Les Belles-Lettres, 1969).
14. Robert MISRACHI, *La Condition réflexive de l'homme juif* (Paris, Julliard, 1963).
15. Paul CLAUDEL, *Cinq grandes odes* (Paris, Gallimard, 1936).
16. Gérald ANTOINE, *Les Cinq grandes odes ou la poésie de la répétition* (Paris, Lettres Modernes, 1959).
17. Virginia WOOLF, *To The Lighthouse* (London, Grafton, 1977).
18. Michel TOURNIER, *Le Vol du vampire* (Paris, Gallimard, 1981).
19. Nadine GORDIMER, *The Conservationist* (London, Penguin, 1972).
20. Stéphane MALLARMÉ, *Œuvres complètes* (Paris, Gallimard, « Bibl. de la Pléiade », 1970).
21. Guy DE MAUPASSANT, *Contes et nouvelles*, vol. I (Paris, Albin-Michel, 1956).

TABLE

ARCHIVES DES LETTRES MODERNES

études de critique et d'histoire littéraire

collection fondée en 1957 par Michel MINARD

Cette collection se présente sous l'aspect de fascicules indépendants (d'un nombre variable de pages), chaque livraison n'étant consacrée qu'à un seul sujet. Le lecteur y trouvera : des articles de fond (état présent d'une question, programme d'étude...) ; des résultats de recherche, des documents ou des textes ; des bibliographies critiques ou des comptes rendus de synthèse ; des traductions ou des reproductions d'articles difficilement accessibles — des combinaisons de ces diverses formules.

*

Cette collection n'est pas périodique mais on peut souscrire des abonnements aux cahiers **à paraître** (sans effet rétroactif)
regroupés en livraisons d'un nombre variable de pages, donc de cahiers.

(tarif valable d'octobre 1991 à septembre 1992)

60 cahiers **à paraître** : FRANCE - ÉTRANGER : **570F**
+ frais de port
suivant zones postales et tarifs en vigueur à la date de facturation
(Paris : **64F** France : **56F** Étranger zones 1 : **33F** 2 : **50F** 3 : **82F** 4 : **99F** en juillet 1991)

les souscriptions ne sont pas annuelles et ne finissent pas à date fixe

---

la livraison n° 254 de la collection
ARCHIVES DES LETTRES MODERNES
ISSN 0003-9675
a été servie aux souscripteurs abonnés
au titre des cahiers 419–426

Claire CERASI

du rythme au sens

une lecture de *L'Amour* de Marguerite Duras

ISBN 2-256-90447-4 (02/92)
MINARD 77 F (02/92)

exemplaire conforme au Dépôt légal de février 1992
bonne fin de production en France
Minard 73 rue du Cardinal-Lemoine 75005 Paris